COLLECTION "PRATIQUES EN QUESTION"

Frédéric Tiberghien

Le rapport Qualité/Temps
dans la performance
de l'entreprise

Quels enjeux ?
Quelle pratique ?

Avec la collaboration de

Elisabeth Delagarde
Elisabeth Martine
Laurent Maruani
Stéphane Hamayon
Michel Rouquès
Luc de Murard

INSEP Éditions
29, rue Marsoulan
75012 Paris

ISBN : 2-901323-60-X
ISSN : 0291-6770
© INSEP Paris 1995
INSEP Éditions
29, rue Marsoulan
75012 Paris

AVANT-PROPOS

Le rapport Qualité/Temps se présente comme un voyage à travers les temps : le temps du client et celui du fournisseur, qui n'obéissent pas aux mêmes exigences. Il existe un décalage, un fossé, entre le délai vécu par le client et celui imposé par le fournisseur.

Ce décalage, Chronopost le constate tous les jours. A l'interface des échanges rapides de marchandises et de documents, nous sommes au contact de milliers d'entreprises, au cœur des échanges marchands.

Cette relation étroite, développée avec le tissu économique et industriel français depuis une dizaine d'années, nous a amenés à faire certaines constatations empiriques. Les attentes des clients à l'égard de leurs fournisseurs se complexifient. Qualité et prix ne sont plus les seuls critères de satisfaction. Une exigence croissante en termes de rapidité et de ponctualité apparaît.

De toutes ces remontées en provenance de nos clients, nous avons retiré la conviction que le traditionnel rapport qualité/prix n'était plus, malgré la crise que nous avons traversée, le seul référentiel de l'entreprise moderne, et qu'un concept nouveau était en train de se développer : le rapport Qualité/Temps.

Ce rapport Qualité/Temps recouvre, pour nous, le lien entre la qualité du produit ou du service et l'ensemble des délais qui lui sont associés.

Mais pas n'importe quels délais : ceux du client. Car l'approche Qualité/Temps procède d'une vision marketing. Il ne s'agit plus pour l'entreprise de se préoccuper seulement de son propre temps, mais de répondre à l'exigence temps du marché et de ses clients, pour combler ce fossé entre temps du client et temps du fournisseur.

Ces délais concernent la livraison physique du produit ou de la marchandise bien entendu, mais aussi les nombreux écarts de temps qui existent entre un vendeur et un acheteur avant, pendant et après la vente : attente d'un renseignement commercial, d'un rendez-vous, d'un document technique, d'une facture ou d'une prestation de service après-vente... Délais envers lesquels le client manifeste une exigence de rapidité et de ponctualité souvent mal connue du fournisseur et encore plus mal satisfaite.

De là le point de départ de ce livre : une intuition dont nous pressentions la portée, mais qu'il était nécessaire d'approfondir et de soumettre à l'analyse avant de la confier au public et à nos clients.

De là, la raison du choix de la méthodologie : nous avons demandé à un collège d'experts en stratégie, en management, en marketing et en économétrie de réfléchir en toute indépendance sur le rapport Qualité/Temps. Chacun d'entre eux a choisi une approche et proposé une analyse liées à sa discipline : études de comportements, sondages et analyses qualitatives, analyses macro-économiques, enquêtes sur le terrain…

Au fil du temps, parti d'une intuition, le rapport Qualité/Temps est devenu, avec la contribution de ces experts, un outil d'analyse au service de la stratégie d'entreprise : levier à la fois marketing et managérial aux dimensions multiples, il met à jour des trésors de compétivité encore inexploités par beaucoup d'entreprises françaises. Nul autre que les "Maîtres du Temps" n'était mieux à même de découvrir et de révéler ces richesses.

Frédéric Tiberghien
Président directeur général
de Chronopost

Sommaire

Le rapport
Qualité/Temps
appliqué à la vie professionnelle

Analyser le marché : temps du client, temps du fournisseur, quels décalages ? .... p. 9

Marché grand public et rapport Qualité/Temps ... p. 10
Marché des échanges interentreprises
et rapport Qualité/Temps .... p. 30

Améliorer le service : transport et logistique, leviers stratégiques de performance ? .... p. 53

Transport et rapport Qualité/Temps .... p. 54
Logistique et rapport Qualité/Temps .... p. 78

Réinventer l'offre : le temps, nouvelle dimension marketing ? .... p. 121

Marketing et temps du client .... p. 122

Le rapport
Qualité/Temps
appliqué à la vie quotidienne

Chiffres clés .... p. 150
Les Français et leur rapport avec le temps .... p. 153
Le Temps objectif .... p. 158
Le Temps social .... p. 163
Le Temps subjectif .... p. 168
Le Temps du travail .... p. 173
Le Temps libre .... p. 177

Table des matières .... p. 201

Le rapport
Qualité / Temps
appliqué à la vie professionnelle

Analyser le marché :
temps du client, temps du fournisseur,
quels décalages ?

Le temps du client est-il le même que celui du fournisseur ? Ont-ils tous deux la même perception du temps ? Afin d'évaluer la pertinence du rapport Qualité/Temps dans les relations entre l'entreprise et sa clientèle, une démarche marketing empirique a été adoptée : étudier, grâce aux techniques quantitatives modernes, les besoins des clients, pour mesurer l'importance du temps et des délais comme éléments de satisfaction.

Cette partie s'appuie sur deux enquêtes à grande échelle :

la première concerne le domaine de la vente au grand public ;

la seconde concerne les échanges interentreprises.

Marché grand public et rapport Qualité/Temps

*Le temps
fait partie du produit
et influence
l'acte d'achat.*

Ce chapitre s'appuie sur deux études :

• Une enquête (1) réalisée auprès de 1 055 personnes représentatives de la population française, âgées de 15 ans et plus.

• Une analyse qualitative comprenant une réunion de groupe de 10 personnes (5 hommes, 5 femmes), habitant Paris et la région parisienne, de catégories socio-professionnelles représentatives, et douze entretiens individuels en profondeur auprès de 6 hommes et 6 femmes, habitant Paris (6 personnes), Dijon (3 personnes), Tours (3 personnes), d'âge et de CSP diversifiés.

**Elisabeth Martine
IFOP**
Directeur du département
Marketing des services

(1) Description de la structure de l'échantillon page 194.

Pour satisfaire le consommateur, producteurs et distributeurs déploient des efforts multiples : prix, qualité, service après-vente, facilités de paiement... tout est pris en compte pour répondre aux attentes individuelles, exprimées ou latentes, comme aux besoins collectifs, façonnés par notre société.

Or, cette dernière est de plus en plus marquée par l'importance du temps et s'oriente vers une culture influencée par la rapidité.

Jusqu'où cette orientation influence-t-elle les attentes des consommateurs ? Le temps fait-il partie des critères de satisfaction des consommateurs ? Si oui, en fait-il partie tout au long du processus d'achat du consommateur, depuis le choix du produit jusqu'à son utilisation ?

Dans la décision d'achat, quelle place pour le temps ?

Un critère de satisfaction à part entière.

Le temps est-il un élément important dans la décision d'achat ? Quelle est sa place par rapport à d'autres critères de satisfaction du consommateur ?

Pour apporter un élément de réponse, la question suivante a été posée aux Français :

Quels sont les deux services que vous souhaiteriez le plus avoir quand vous achetez en magasin ?

• Un service après-vente (S.A.V.) performant.

• Des moyens de financement à la carte.

• La possibilité d'être livré à domicile.

• Des temps d'attente réduits aux caisses.

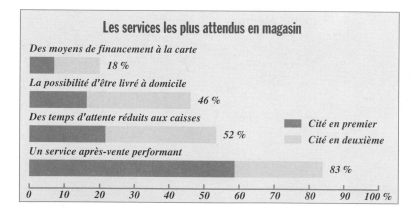

Les services les plus attendus en magasin

Des moyens de financement à la carte
18 %

La possibilité d'être livré à domicile
46 %

Des temps d'attente réduits aux caisses
52 %

Cité en premier
Cité en deuxième

Un service après-vente performant
83 %

0   10   20   30   40   50   60   70   80   90   100 %

Cette représentation graphique illustre l'importance accordée au temps, considéré comme un facteur tout à fait déterminant.

Les services les plus souvent recherchés lors d'achats en magasin sont donc :

• **Un service après-vente performant (83 %).** Cette réponse met en valeur la relation durable qui se noue entre le consommateur et le vendeur (producteur ou distributeur).

Le temps du client ne s'arrête pas à la sortie du magasin ; il continue après la vente pendant toute la durée de vie du produit. La qualité de ce temps après-vente est l'une des principales demandes du consommateur.

• **Des temps d'attente réduits aux caisses (52 %).** Cette réponse traduit une perception négative du temps, celle du temps d'attente pendant la vente, que les consommateurs rejettent majoritairement.

Réduire le temps d'attente aux caisses : impensable hier, la caisse sans caissière sera demain une réalité.

Les distributeurs sont conscients du rejet des temps d'attente aux caisses par les consommateurs. Ainsi, ils étudient de près les possibilités techniques offertes par les étiquettes électroniques, qui permettent d'envisager la lecture automatique à grande échelle.

Il suffira alors de passer son Caddie sous un arceau pour comptabiliser son contenu et calculer la somme à payer.

Des expériences pilotes sont actuellement menées dans plusieurs magasins en France (par exemple un des supermarchés Champion, rue de Maubeuge à Paris) et pourraient, une fois toutes les difficultés techniques résolues, se généraliser.

• **La possibilité d'être livré à domicile (46 %)** est la troisième attente majeure. Cette réponse est en partie liée au rejet de l'attente aux caisses et à la valorisation du temps libre, sans contrainte, qui caractérise les Français.

> **Le temps est donc un facteur déterminant dans l'acte d'achat.**

Le facteur temps ainsi analysé comporte une double dimension : positive (le S.A.V.) et négative (le temps d'attente aux caisses).

La prise en compte de cette dimension temporelle dans l'acte d'achat est un exemple – parmi d'autres dimensions possibles – qui peut avoir une influence directe sur l'aménagement de l'offre par le distributeur.

Un critère de classification des produits et des services.

Les temps positif et négatif, critères de satisfaction du consommateur, sont communs à l'ensemble des produits d'un même magasin.

Est-il possible d'aller plus loin et de considérer le temps comme une dimension liée par nature aux biens et aux services, et en tant que telle, une variable à prendre en compte pour satisfaire le client ?

> **L'analyse qualitative nous donne des éléments de réponse concrets : les Français assignent à chaque bien ou service une valeur temps spécifique.**

Cette valeur temps n'est pas unique. Cependant, la satisfaction des consommateurs lui est largement liée. La synthèse des réunions de groupe et des entretiens individuels a permis de mettre en lumière différentes dimensions du temps associées au produit.

Le temps, élément objectif.

Les consommateurs considèrent que le temps peut être un élément constitutif du produit ou du service. Au premier degré, le produit est par exemple un instrument de *mesure du temps* : montre, agenda…

D'une façon plus générale, l'usage de nombreux produits ou services permet un *gain de temps* : transport, transmission, électroménager…

D'autres produits ou services peuvent à l'inverse induire par nature une *perte de temps* notamment en raison d'une durée incompressible associée à leur utilisation : démarches, déplacements, apprentissage…

> **Pour les produits ayant un rapport objectif avec le temps, la satisfaction du consommateur est liée à la réalité de la promesse temps qui est faite : gagner ou ne pas perdre de temps.**

Le temps, association subjective entre le bien et la durée.

Les consommateurs peuvent également assigner aux produits et aux services un lien plus imaginaire avec le temps.

C'est le cas pour les biens durables dont la nature même, la marque ou la provenance, certifient une qualité et inscrivent le produit dans la durée : longtemps la qualité allemande était par exemple synonyme en France de robustesse et de longue durée de vie du produit, notamment dans l'électroménager ou l'automobile.

Certains produits sont ainsi perçus comme ayant une existence à long terme.

C'est également le cas de produits correspondant à une anticipation du futur (produits financiers, épargne, assurance...), dont le référentiel principal est le temps objectif (durée de souscription) par rapport au temps subjectif du souscripteur : ses anticipations, sa situation personnelle, ses objectifs à court, moyen et long terme.

C'est enfin le cas pour des produits à cycle de vie court et donc à mort programmée, comme les produits alimentaires frais comportant une date de péremption. Cette dernière, bien qu'objective, crée une relation particulière avec le produit, susceptible d'influencer la décision d'achat.

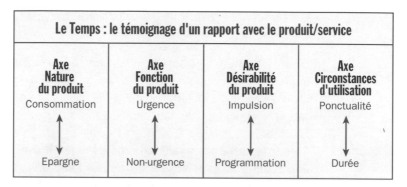

Cet équilibre entre temps objectif et temps subjectif crée un rapport avec le temps qui peut être lu selon quatre axes spécifiques : la nature du produit, sa fonction, sa désirabilité et les circonstances de consommation.

Ainsi un même objet aura une valeur temps différente selon l'axe sous lequel il est analysé : même si un produit a une fonction non urgente, il devra être disponible immédiatement si sa position sur l'axe Désirabilité est proche de l'impulsion.

La nature du produit : consommation ou épargne.

Les consommateurs positionnent les produits sur l'axe Nature entre consommation et épargne.

La consommation correspond aux produits frais, par nature périssables, et aux produits liés à une mode saisonnière ou passagère. Il s'agit de produits dont l'horizon est le court terme.

L'épargne correspond aux biens durables comme les biens d'équipement et les vêtements de base (hors mode). L'achat de ces produits implique une espérance de long terme.

La satisfaction du consommateur dépend sur cet axe de la cohérence entre la promesse temps faite par le distributeur ou le producteur et la performance réelle du produit.

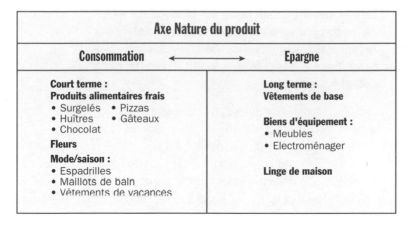

Axe Nature du produit	
Consommation ←——→	Epargne
Court terme : **Produits alimentaires frais** • Surgelés • Pizzas • Huîtres • Gâteaux • Chocolat **Fleurs** **Mode/saison :** • Espadrilles • Maillots de bain • Vêtements de vacances	**Long terme :** **Vêtements de base** **Biens d'équipement :** • Meubles • Electroménager **Linge de maison**

La fonction du produit : urgence, non-urgence.

> **Le produit, dans sa fonction, peut ou non répondre à un besoin urgent : c'est le cas notamment pour les médicaments, ou pour des prestations liées au dépannage.**

L'attitude face à cette fonction exerce une influence sur le niveau des stocks : le consommateur attend du distributeur un stock permanent pour les produits urgents (médicaments) alors qu'il peut tolérer une rupture de stock pour les produits non urgents. Concrètement, une rupture de stock sur les produits urgents entraînera pour le distributeur une perte de la vente, qui sera réalisée par un concurrent (une autre pharmacie, par exemple), alors que l'achat peut être reporté pour les produits non urgents.

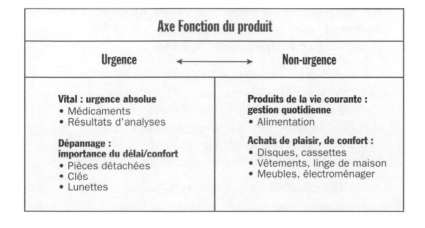

Axe Fonction du produit	
Urgence ←——→	Non-urgence
Vital : urgence absolue • Médicaments • Résultats d'analyses **Dépannage :** **importance du délai/confort** • Pièces détachées • Clés • Lunettes	**Produits de la vie courante :** **gestion quotidienne** • Alimentation **Achats de plaisir, de confort :** • Disques, cassettes • Vêtements, linge de maison • Meubles, électroménager

La désirabilité du produit : impulsion, program-mation.

> **La désirabilité associée à un bien ou un service oppose l'achat d'impulsion (envie), pour lequel l'accessibilité immédiate est importante, à l'achat programmé, pour lequel le délai compte moins.**

Là encore, le positionnement sur cet axe est susceptible d'influencer la politique de distribution. Les produits dont l'achat est fortement lié à l'impulsion doivent être disponibles en stock sur le lieu de vente pour pouvoir être immédiatement emportés par l'acheteur ; pour d'autres types de produits, une livraison différée est acceptée.

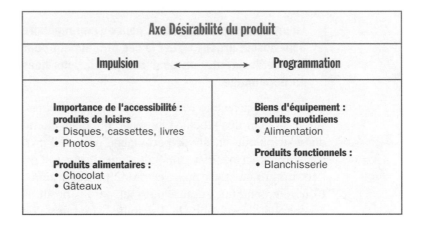

Les circonstances : ponctualité, durée.

> **La valeur temps d'un produit dépend également des circonstances d'utilisation, selon qu'elles impliquent une ponctualité forte ou qu'elles s'inscrivent au contraire dans la durée.**

Dans le besoin de ponctualité lié à l'événementiel, se placent les achats pour un anniversaire, un mariage, une naissance, Noël. Cette ponctualité est différente de la notion d'urgence définie précédemment : les événements auxquels sont liés ces produits et services sont en général prévisibles et donc anticipables.

Les biens d'équipement ou les produits de loisirs, qui sont généralement des produits achetés en remplacement ou en complément de produits déjà possédés, et pour lesquels le client est donc plus disposé à attendre, se situent dans la dimension durée.

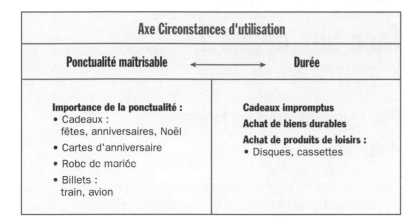

Pendant l'achat, quelle tolérance face aux délais ?

Une segmentation de la capacité d'attente.

Les différents positionnements des produits sur l'axe temps déterminent la capacité d'attente du consommateur.

Sa tolérance face aux délais varie selon plusieurs critères :
• Pour quels produits accepte-t-il de différer l'achat en cas de non-disponibilité immédiate ?
• Pour quels produits l'annule-t-il ?
• Le destinataire, utilisateur final des produits, influence-t-il la tolérance face aux délais ?
• L'âge ou la profession de l'acheteur ont-ils une influence ?

Les réponses à ces questions peuvent permettre au producteur ou au distributeur d'affiner aussi bien sa politique marketing que sa logistique.

> Cette tolérance du consommateur est susceptible d'avoir plusieurs effets.
> • Elle influence globalement la satisfaction du client et sa décision de réachat.
> • Elle est susceptible, selon qu'elle est faible ou forte, de supprimer une vente ou de seulement la reporter.
> • Elle influence directement le niveau de stock nécessaire.
> Connaître cette tolérance constitue donc une clé d'analyse pertinente, au même titre que la connaissance des attentes du client en termes de qualité, de prix ou de conditionnement.

Pour connaître cette tolérance, les consommateurs ont été interrogés sur leur attitude face aux délais pour plusieurs types de produits, et pour trois destinataires différents.

Les produits vont du simple gadget au canapé et couvrent une large gamme de besoins (à l'exception de l'alimentaire).

Une forte demande d'immédiateté et de visibilité du délai.

Plus de la moitié des personnes interrogées veulent disposer immédiatement du produit qu'elles ont choisi, quels que soient la nature de ce produit et son destinataire.

Parallèlement, moins de 15 % des Français acceptent un délai non précisé.

Cette recherche globale d'immédiateté ou de visibilité est le premier enseignement. Elle est cependant vécue différemment selon le type de produit ou de destinataire et selon l'âge de l'acheteur.

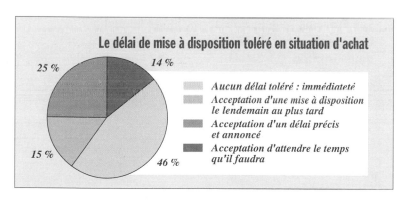

Le délai de mise à disposition toléré en situation d'achat

25 % 14 % 15 % 46 %

Aucun délai toléré : immédiateté

Acceptation d'une mise à disposition le lendemain au plus tard

Acceptation d'un délai précis et annoncé

Acceptation d'attendre le temps qu'il faudra

Une tolérance liée au destinataire, à l'acheteur et à la valeur du produit.

L'analyse des données chiffrées montre que l'attitude face aux délais est fonction de plusieurs critères.

Le destinataire du produit.

L'acheteur d'un produit n'en est pas toujours le destinataire final : un cadeau ou même un achat pour le foyer ne sont pas destinés à l'usage exclusif de l'acheteur. La nature du destinataire influence directement la tolérance face aux délais.

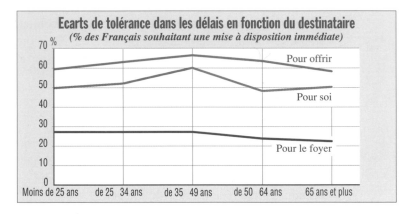

Ecarts de tolérance dans les délais en fonction du destinataire
(% des Français souhaitant une mise à disposition immédiate)

Les Français veulent une accessibilité immédiate lorsqu'il s'agit d'acheter un produit pour soi ou pour offrir.

• *Pour soi : 66 % des personnes interrogées veulent* par exemple tout de suite une paire de chaussures

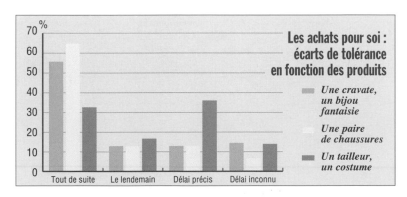

Les achats pour soi : écarts de tolérance en fonction des produits

Une cravate, un bijou fantaisie

Une paire de chaussures

Un tailleur, un costume

pour elles-mêmes, ou ne l'achètent pas ; 57 % refusent d'acheter une cravate ou un bijou fantaisie pour eux-mêmes si l'objet de leur choix n'est pas disponible immédiatement.

Ce résultat peut être interprété par la position de ces produits sur l'axe Désirabilité, qui en l'occurrence est forte.

• *Pour offrir : 67 %* des Français refusent d'attendre pour un gadget, 62 % pour un livre ou un disque, et 57 % pour un stylo ou une sacoche de marque. La position de ces produits sur l'axe Circonstances d'utilisation explique la recherche d'immédiateté exprimée ici : le cadeau est souvent lié à une date précise qui s'impose à l'acheteur.

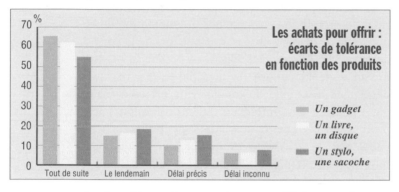

Les Français acceptent un délai pour l'achat d'un produit destiné au foyer.

13 % des consommateurs n'achètent pas un canapé s'il n'est pas disponible immédiatement ; 35 % ont la même attitude pour l'achat d'une lampe. Si 75 % des Français acceptent d'attendre pour un achat destiné au foyer, 53 % demandent un délai connu alors que 22 %

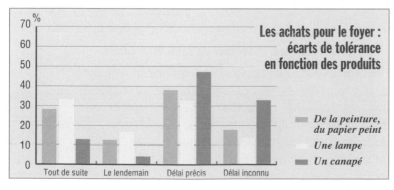

acceptent de ne pas connaître le délai à l'avance. Les axes Nature et Fonction du produit expliquent cette attitude : il s'agit de produits à durée de vie longue, achetés dans une optique d'épargne et dont l'utilisation ne se situe pas dans un contexte d'urgence.

L'âge de l'acheteur et la valeur du produit.

L'attitude face aux délais varie en fonction de l'âge et de la valeur du produit.

Les actifs recherchent plus que les autres l'immédiateté.

Le besoin d'une disponibilité immédiate apparaît plus prononcé auprès des personnes âgées de 25 à 49 ans lorsqu'il s'agit d'un achat pour soi ou pour offrir, et il diminue avec l'âge. Quel que soit le destinataire final du produit, on constate une augmentation de la demande de disponibilité immédiate lors de la période active de la vie. Cette situation reflète la prédominance de la culture de la rapidité qui marque désormais le monde du travail. Elle est confirmée par l'analyse de l'influence de la profession : les professions libérales ou les cadres supérieurs recherchent une accessibilité immédiate, alors que les retraités acceptent plus volontiers des délais.

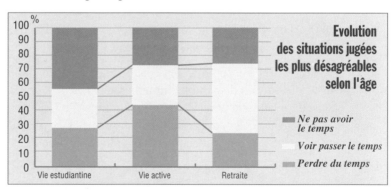

Evolution des situations jugées les plus désagréables selon l'âge

■ Ne pas avoir le temps

□ Voir passer le temps

■ Perdre du temps

Le prix influence la tolérance face aux délais.

Pour un investissement considéré comme moyen ou faible, plus de 50 % des consommateurs veulent une disponibilité immédiate. 35 % acceptent un délai mais veulent le connaître à l'avance. Il y a donc pour ce type d'achat une exigence majoritaire de rapidité. Pour un investissement jugé important, moins de 35 % des consommateurs exigent une disponibilité immédiate. 50 % acceptent le délai mais veulent le connaître à l'avance. Le consommateur affiche ainsi une exigence de ponctualité.

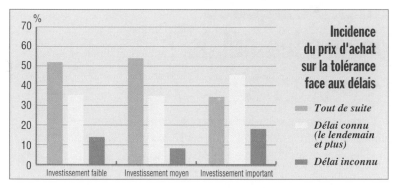

Si la demande d'immédiateté décroît avec le montant de l'achat, la disponibilité sous 24 h représente plus de 40 % des demandes de ponctualité dans les achats de faible ou de moyenne importance.

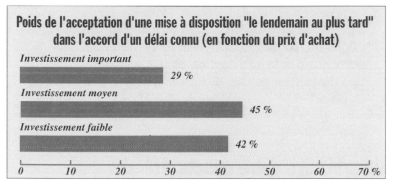

Il n'y a pas de différence de comportement entre les personnes qui utilisent la vente à distance et celles qui n'y ont pas recours. Qu'il utilise ou non la vente par correspondance, le consommateur a une attente identique face au temps. Par exemple 57 % des Français n'ayant pas recours à la VPC veulent une cravate ou un bijou fantaisie tout de suite ou ne l'achètent pas. Le chiffre est de 58 % pour les Français utilisant la VPC par Minitel et téléphone, et de 56 % pour ceux utilisant la VPC par courrier. Les spécialistes de la vente par correspondance, qui utilisent le critère du délai de livraison chez le client pour positionner leur offre, ont bien compris ce phénomène : la VPC, malgré la distance qu'elle entraîne (et sans doute même à cause de cette distance), ne peut s'affranchir du temps de ses clients.

Après l'achat, quelle exigence envers les délais ?

La relation entre le distributeur et le consommateur ne s'arrête pas à la vente ; elle va jusqu'à la livraison, et même au-delà, avec le service après-vente.

La livraison, qui n'était autrefois possible que pour les produits d'équipement du foyer, touche désormais de nombreux autres articles : produits alimentaires et bien entendu tous produits commercialisés en vente à distance.

> **Le respect du délai de livraison, alors que l'acte d'achat est déjà effectué, peut être un élément valorisant ou pénalisant pour le distributeur, contribuant à la satisfaction ou à l'insatisfaction du consommateur et influençant son prochain achat.**

Un arbitrage entre ponctualité et rapidité.

En matière de livraison, les Français affichent une nette préférence pour la ponctualité (60 %) face à la rapidité (40 %). Le vendeur aurait tout intérêt à remplacer le traditionnel "Ça part demain" par une réponse plus adaptée aux attentes du consommateur : "Vous serez livré tel jour dans tel créneau horaire".

> **La promesse de rapidité est généralisée, même si cette rapidité n'est pas clairement précisée, avec une perception de fiabilité faible (promesse en l'air du vendeur) : la ponctualité prime car si l'on souhaite un délai rapide, on souhaite avant tout qu'il soit tenu.**

A nouveau, se manifestent les effets de l'âge et de la profession. En effet, la faveur accordée à la ponctualité progresse avec l'âge (de 53 % à 67 %). Par ailleurs, les professions indépendantes favorisent significativement la ponctualité par rapport à la rapidité.

La préférence pour la ponctualité se traduit par le choix des consommateurs en termes de situations jugées comme les plus désagréables :

• "Ne pas savoir quel jour cela arrivera" (pour un score de 59 %).

• "Etre obligé d'attendre chez soi pour être livré" (pour un score de 49 %).

• "Ne pas être informé des retards" (pour un score de 48 %).

• Si "Ne pas pouvoir être livré le lendemain" arrive en dernier (relativement aux autres idées testées), cette situation est cause de désagrément pour 18 % des Français.

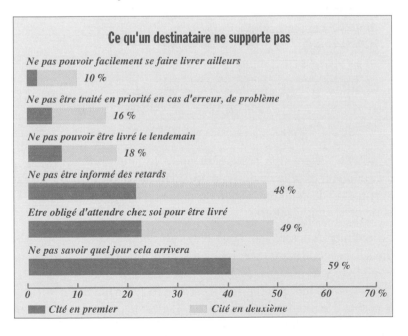

Ce qu'un destinataire ne supporte pas

Ne pas pouvoir facilement se faire livrer ailleurs
10 %

Ne pas être traité en priorité en cas d'erreur, de problème
16 %

Ne pas pouvoir être livré le lendemain
18 %

Ne pas être informé des retards
48 %

Etre obligé d'attendre chez soi pour être livré
49 %

Ne pas savoir quel jour cela arrivera
59 %

0   10   20   30   40   50   60   70 %

■ Cité en premier   ■ Cité en deuxième

Un destinataire devenu expéditeur.

En ce qui concerne les services liés à l'expédition d'un colis, 58 % des Français souhaitent des délais d'acheminement rapides, et 38 % des délais d'acheminement fiables. Les résultats sont donc inversés par rapport à la situation précédente : alors que le destinataire préfère la ponctualité, l'expéditeur recherche la rapidité.

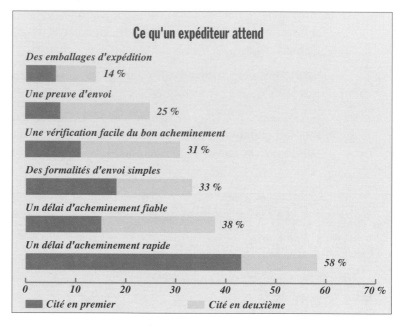

L'attitude diffère non seulement entre la situation d'expéditeur et celle de destinataire, mais aussi entre la situation de celui qui décide du mode de livraison et de celui qui le subit.

Le premier suit car il a choisi entre plusieurs solutions. Le second ne suit pas, on lui a juste promis qu'il serait livré vite, ou dans les 24 h... Le délai lui-même ne l'intéresse donc plus puisqu'il est déjà fixé. Il a une échéance : le moment de la livraison, et c'est la précision de cette échéance qui l'intéresse et elle seule.

e dernier résultat cité montre qu'il existe un écart entre la mentalité de destinataire et la mentalité d'expéditeur.

Cet écart symbolise l'intérêt d'une analyse marketing prenant en compte la dimension temps : le temps du distributeur n'est pas forcément celui du consommateur.

Pour satisfaire les attentes de ce dernier, il est nécessaire d'analyser le positionnement du produit sur différents axes temporels.

Ces axes sont multiples. Ce chapitre a permis d'en faire apparaître quelques-uns.

Il peut en exister d'autres, et ceux qui ont déjà été identifiés continueront à évoluer. Car la société et les consommateurs modifient continuellement leur rapport avec le temps. Il aurait d'ailleurs été très instructif de disposer d'une étude comparable réalisée dans le passé. L'évolution des comportements et des attentes aurait pu ainsi être mesurée.

Pour l'avenir, on peut penser que si nos sociétés continuent leur marche forcée vers toujours plus de vitesse, l'intolérance face aux délais augmentera. Les distributeurs qui intégreront plus vite que les autres une telle évolution feront de la disponibilité du produit, de la rapidité et de la ponctualité de livraison non plus l'exception mais une norme. Il disposeront alors de réels avantages concurrentiels dans la bataille commerciale des prochaines années.

Marché des échanges interentreprises et rapport Qualité/Temps

La livraison est un élément déterminant de l'image globale du fournisseur auprès de son client.

Ce chapitre est tiré de l'exploitation d'un questionnaire (1) comprenant 92 questions fermées et 257 réponses associées, soumis à 598 entreprises françaises. Les réponses émanent des responsables de divers services au sein de l'entreprise (achats, production, communication, commercial…).

L'analyse des résultats par la méthode des correspondances multiples permet de mettre en lumière des groupes d'individus ayant des opinions ou des comportements analogues parmi les entreprises ayant répondu. Cette analyse comportementale permet de tirer des enseignements sur différents types de relations client/fournisseur existant au sein des entreprises françaises.

Stéphane Hamayon
QUANTIX
Directeur associé
Docteur en économie

(1) Description de la structure de l'échantillon page 195.

L a perception qu'ont vos clients de votre entreprise ne correspond pas forcément à la réalité.
Il n'en demeure pas moins qu'elle reste leur
perception.

Cette constatation est à la base de la réalisation de
ce chapitre, dont l'objectif est de vous apporter une
vision inédite de votre entreprise, en demandant à
vos clients de juger votre performance de fournisseur… 598 entreprises ont participé à cette enquête.
Certaines d'entre elles sont peut-être vos clients, ou
pourraient en tout cas potentiellement l'être.

Vous pouvez ainsi mesurer l'écart entre ce que vous
croyez que vos clients pensent de vous… et ce qu'ils
pensent réellement, et identifier ce qui détermine
vraiment leur satisfaction.

Faut-il se limiter au traditionnel rapport qualité/prix,
ou bien la satisfaction des clients dépend-elle de critères plus complexes et plus nombreux ?

Et parmi ceux-ci, quelle est la place du rapport
Qualité/Temps ?

Pouvez-vous satisfaire tous vos clients de la même
façon ?

Le temps,
élément de satisfaction
des professionnels ?

Le délai, critère de choix
dans les échanges client/fournisseur.

Si l'on interrogeait vos clients, comment jugeraient-ils les performances de votre entreprise ?

Répondez aux questions suivantes en tant que fournisseur et établissez une comparaison avec les résultats de l'enquête.

D'après vous, que pensent de vous vos clients ?			
Vos clients vous ont choisi pour vos performances en termes de :			
(notez de 1 à 3 les trois premiers critères : 1 est le plus important des trois critères)			
Proximité		Service	
Qualité		Prix	
Délai		Sécurité/habitude	

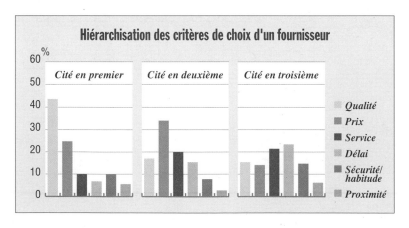

Hiérarchisation des critères de choix d'un fournisseur

D'après vous, qu'apportent vos clients à leurs propres clients ?			
Vos clients apportent à leurs clients :			
(notez de 1 à 3 les trois premiers critères : 1 est le plus important des trois critères)			
Proximité		Service	
Qualité		Prix	
Délai		Sécurité/habitude	

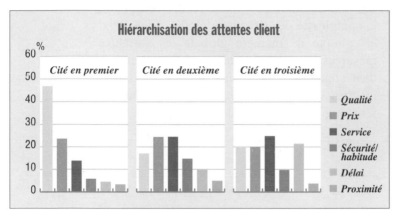

Hiérarchisation des attentes client

Les entreprises attendent de leur fournisseur — c'est-à-dire de vous — qualité, prix et délai tandis qu'elles apportent à leurs clients qualité, prix et service.

L'entreprise attend donc de son fournisseur le respect du délai et offre à son client du service en apportant sa propre valeur ajoutée. Le service offert inclut plusieurs critères : l'accueil, l'empathie, le respect du délai, un bon service de livraison et la possibilité d'un réassort rapide.

Il y a une analogie forte entre les critères de choix des fournisseurs et l'attente des clients : l'exigence des clients est répercutée sur les fournisseurs par l'entreprise qui fournit le produit ou le service au client final.

Pour 56 % des entreprises, le délai est un critère discriminant (2) de la relation client/fournisseur. Il est un critère non discriminant mais cependant important pour les 44 % restants.

(2) Un critère discriminant au sens statistique est un critère susceptible d'opérer des scissions au sein d'une population.

Analyse des données multidimensionnelles : une méthode adaptée à la complexité.

Les opinions et les choix qui caractérisent des individus intègrent majoritairement plus de deux variables. L'analyse des correspondances multiples permet d'étudier les relations entre des données multiples, pour rendre compte de la complexité des situations réelles. Elle prend en compte de manière globale les variables mesurées sur les individus en mettant en évidence leurs liaisons et leurs différences, et permet ainsi d'aborder la relation client/fournisseur sous tous ses aspects.

Exigences client/fournisseur, quels liens ?

L'analyse des données multidimensionnelles permet de distinguer trois groupes homogènes d'entreprises, dans leurs attentes à l'égard des fournisseurs.

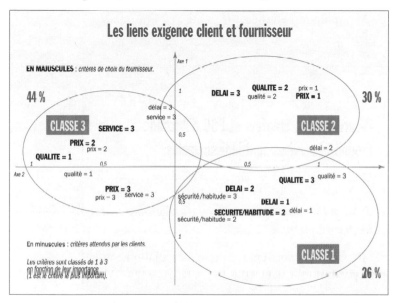

Les liens exigence client et fournisseur

EN MAJUSCULES : *critères de choix du fournisseur.*

44 %

30 %

CLASSE 3

CLASSE 2

CLASSE 1

26 %

En minuscules : *critères attendus par les clients.*

Les critères sont classés de 1 à 3 en fonction de leur importance (1 est le critère le plus important).

Principal résultat : la proximité des exigences en tant que client et fournisseur. Cette analogie forte entre les critères de choix des fournisseurs et l'attente des clients illustre bien l'échange où, tour à tour, un client devient lui-même fournisseur : on peut penser, bien qu'une liaison ne soit pas une causalité, que l'exigence des clients se répercute jusqu'au niveau du fournisseur.

Pour deux de ces trois populations homogènes, le délai est un enjeu tant au titre de fournisseur qu'au titre de client. Si ces deux populations se distinguent selon la place qu'elles accordent au délai dans leur classification, elles associent les critères délai et qualité.

Prix, qualité et délai : critères déterminants pour 30 % des entreprises.

Pour 30 % des entreprises, les principaux critères en matière d'exigence client/fournisseur sont le prix, la qualité et le délai.

Il s'agit plutôt de commerçants ou de distributeurs qui vendent des marchandises.

Les réceptions de marchandises saisonnières sont plus fréquentes dans ce groupe que dans l'ensemble de la population étudiée.

Gérard Mulliez, créateur et PDG d'Auchan : Produit et services sont indissociables.

Dans le livre "La Dynamique du client" qu'il a préfacé, Gérard Mulliez, PDG et créateur d'Auchan, partage cette vision globale de l'offre au client.

"Il existe trop souvent [...] une dissociation entre le produit et le service.

Comme s'il y avait d'une part des biens, concrets, inertes, quantifiables, et de l'autre des actions immatérielles, fluctuantes et difficiles à mesurer.

C'est la plupart du temps le contraire. Il n'y a guère de produits qui ne devraient contenir une part de service : le contrat d'assurance comme la bouteille d'huile, le caméscope comme le poisson vendu à l'étal.

Regardons les choses sous cet angle et cessons de dissocier les activités dites primaires et secondaires de celles dites tertiaires."

Délai, sécurité et qualité : critères déterminants pour 26 % des entreprises.

Le délai est leur premier critère de choix. L'association dans le même groupe du critère sécurité et du critère délai peut au premier abord paraître étonnante, mais il faut garder à l'esprit que les entreprises pour lesquelles le délai est primordial sont plus que les autres exposées au risque de défaillance de leur fournisseur.

Parmi ces entreprises, l'assurance et la finance sont plus représentées que dans l'ensemble de la population sondée. Ces entreprises appartiennent également plutôt au secteur tertiaire et sont amenées à envoyer plutôt des documents à leurs clients.

Par ailleurs, ces entreprises accordent aux questions relatives au transport et à la disponibilité du fournisseur une forte importance, ce qui confirme leur préoccupation pour les délais de livraison.

> **44 % des entreprises privilégient qualité, prix, service. Le délai, bien que moins caractéristique en étude des liaisons, est également important.**

Ces entreprises sont très diverses : aucune question relative au secteur d'activité ou à la nature des produits reçus/expédiés ne permet de les caractériser.

Le temps du client dans l'échange, une dimension suffisamment prise en compte ?

Si le prix, la qualité et le délai sont des critères majeurs de la satisfaction, vos clients éprouvent-ils tous le même degré de satisfaction ? Sont-ils satisfaits sur les critères qui leur semblent importants ?

D'après vous, que pensent de vous vos clients ?

Que répondraient-ils aux questions suivantes si on leur demandait de juger vos performances sur les points suivants (le fournisseur, c'est vous) ?

D'après vous, qu'attendent de vous vos clients ?				
	IMPORTANCE		SATISFACTION	
	faible	forte	faible	forte
Bon état des objets reçus	☐	☐	☐	☐
Banalisation de l'envoi	☐	☐	☐	☐
Remise en mains propres	☐	☐	☐	☐
Conformité de la commande	☐	☐	☐	☐
Professionnalisme des livreurs	☐	☐	☐	☐
Disponibilité du fournisseur	☐	☐	☐	☐
Reprise si problème	☐	☐	☐	☐
Assurances de transport	☐	☐	☐	☐
Information sur le mode de transport	☐	☐	☐	☐
Rapidité de livraison	☐	☐	☐	☐
Respect du délai annoncé	☐	☐	☐	☐
Transparence	☐	☐	☐	☐
Réactivité du fournisseur	☐	☐	☐	☐
Choix de la vitesse de livraison	☐	☐	☐	☐
Constance de la qualité	☐	☐	☐	☐
Annonce du délai de livraison	☐	☐	☐	☐

Comment répondez-vous à vos clients ?	
Si vous l'appelez pour savoir où en est votre commande, votre fournisseur aurait plutôt tendance à vous répondre :	
Ça arrivera demain, après-demain	☐
C'est parti	☐
Ça arrivera tel jour à telle heure	☐
Je voulais vous appeler, on a un petit souci	☐
Si votre commande n'est pas conforme :	
Son service client s'en occupe	☐
On vous oriente d'un service à l'autre	☐
Si votre commande tarde à arriver :	
Son service client s'en occupe	☐
On vous oriente d'un service à l'autre	☐
Il vous dirige vers le transporteur	☐

L'analyse des réponses permet de tirer les conclusions suivantes :

La livraison est un élément déterminant de l'image du fournisseur auprès de son client. Cette image est liée à la qualité de l'ensemble des flux fournisseur/client : marchandises et documents.

Le degré de satisfaction des clients diffère selon les secteurs (industriel ou tertiaire) et selon le type de flux (marchandises ou documents).

Le secteur industriel présente une situation contrastée : une majorité de fournisseurs jugés très efficaces ; mais également un nombre important d'entreprises aux performances logistiques faibles. Ce secteur s'avère par ailleurs peu efficace dans ses envois de documents.

Les entreprises du secteur tertiaire (qui, par nature, échangent essentiellement des documents par télécopie, informatique, courrier, coursier) semblent disposer d'une grande marge d'amélioration, notamment en termes de délai et de livraison.

Les situations diffèrent donc selon la nature des flux : marchandises ou documents.

Des destinataires de marchandises globalement satisfaits.

56 % des destinataires de marchandises sont satisfaits de leur relation avec leur fournisseur.

56 % des clients recevant des marchandises sont satisfaits des prestations de leur fournisseur, les notations en importance et satisfaction étant homogènes sur les critères suivants (classement par ordre décroissant de représentativité) :

• Respect du délai.

• Constance de la qualité dans l'échange.

• Professionnalisme des livreurs.

• Annonce du délai de livraison.

• Disponibilité du fournisseur.

• Transparence (facilité d'accès à l'information chez le fournisseur).

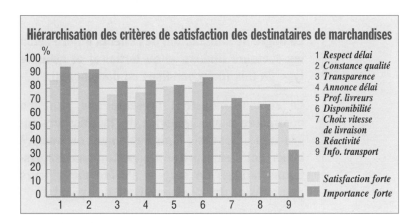

La satisfaction des clients va de pair avec la qualité globale des services offerts par ce fournisseur.

En effet, lorsque le client demande des informations sur sa commande, le fournisseur répond : "La commande arrivera tel jour, telle heure". Si la commande tarde à arriver, son "service client s'en occupe".

D'une manière générale, la satisfaction forte en matière de livraison est associée à une image de qualité globale du fournisseur.

36 % des destinataires de marchandises sont insatisfaits de leur relation avec leur fournisseur.

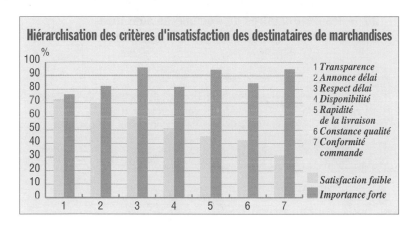

Hiérarchisation des critères d'insatisfaction des destinataires de marchandises

1 *Transparence*
2 *Annonce délai*
3 *Respect délai*
4 *Disponibilité*
5 *Rapidité de la livraison*
6 *Constance qualité*
7 *Conformité commande*

Satisfaction faible
Importance forte

36 % des clients recevant des marchandises sont mécontents. Les critères qu'ils estiment être les plus importants ne sont pas ceux pour lesquels ils sont les plus satisfaits.

Leur insatisfaction est illustrée par le décalage entre les efforts de leur fournisseur et leurs attentes réelles.

Ils ne sont, en effet, pas satisfaits de la transparence en cas de problème, de l'annonce du délai de livraison, du respect du délai, du choix de la vitesse de livraison qu'ils jugent pourtant importants.

Ces clients reçoivent des marchandises à des fréquences régulières ; ils estiment pouvoir gagner du temps sur l'ensemble de la relation avec leur fournisseur.

La proportion des marchandises destinées à être transformées ou assemblées est plus importante dans ce groupe : ces clients insatisfaits sont donc plutôt des centres de production.

Une forte proportion de destinataires de documents insatisfaits.

30 % des destinataires de documents sont insatisfaits de leur relation avec leur fournisseur.

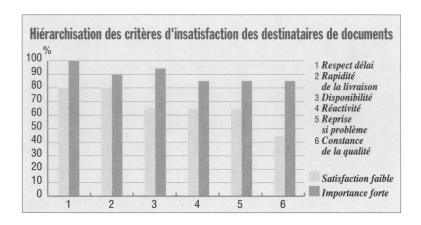

Hiérarchisation des critères d'insatisfaction des destinataires de documents

1 *Respect délai*
2 *Rapidité de la livraison*
3 *Disponibilité*
4 *Réactivité*
5 *Reprise si problème*
6 *Constance de la qualité*

Satisfaction faible
Importance forte

30 % des clients recevant des documents sont insatisfaits des prestations de leur fournisseur. Au premier chef des griefs adressés aux fournisseurs, figurent le non-respect des délais de livraison et le manque de rapidité des livraisons, considérés comme importants.

Le service client du fournisseur semble faire preuve de désinvolture : lorsque les commandes tardent à arriver ou ne sont pas conformes, l'attitude du fournisseur est invariablement résumée par "on nous balade". D'une manière générale, cette insatisfaction à l'égard de la réception de documents est le reflet d'un dysfonctionnement général chez le fournisseur. Ce dernier est sévèrement jugé par le client sur les indicateurs suivants : constance de la qualité, transparence, information, réactivité, disponibilité.

Les problèmes de respect du délai de livraison créent une image globalement négative du fournisseur auprès de son client.

47% des destinataires sont satisfaits de leur relation avec leur fournisseur.

47 % des destinataires sont satisfaits sur les critères qui leur semblent importants :
• Disponibilité du fournisseur.
• Respect du délai.
• Rapidité de livraison.
• Annonce du délai de livraison.
• Reprise immédiate en cas de problème.
• Choix de la vitesse de livraison.

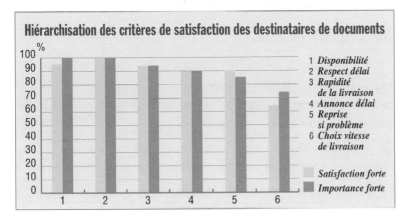

Hiérarchisation des critères de satisfaction des destinataires de documents

1 *Disponibilité*
2 *Respect délai*
3 *Rapidité de la livraison*
4 *Annonce délai*
5 *Reprise si problème*
6 *Choix vitesse de livraison*

Satisfaction forte
Importance forte

Seul point sur lequel ils ne sont pas satisfaits : la remise en mains propres, mais qui ne leur semble pas prépondérante.

La satisfaction importante sur des critères objectifs relatifs à la livraison semble être concomitante à une bonne image de l'entreprise : celle-ci est jugée positivement sur des points subjectifs de la relation client/fournisseur, comme la disponibilité, le professionnalisme, la réactivité ou la transparence.

Le temps du client,
quelles potentialités
de progrès ?

Des possibilités variées
de gain de temps.

On a pu voir que le délai est un critère important de la qualité de la relation client/fournisseur, au même titre que la qualité ou le prix.

Dans ces conditions, est-il possible de gagner du temps dans la relation client/fournisseur ?

D'après vous, que répondent vos clients aux questions suivantes (ce fournisseur, c'est vous) ?

Quel est le mode de commande de vos clients ?	
Votre service commande à ce fournisseur :	
Par télécopie, télex, téléphone…	☐
Par lettre	☐
Lors de ses visites	☐
Par procédure interne	☐
Sans commander	☐

Comment vos clients réceptionnent-ils vos envois ?	
Votre service réceptionne :	
Directement	☐
Indirectement *(2 intermédiaires maximum)*	☐
Indirectement *(plus de 2 intermédiaires)*	☐

Votre client pense-t-il gagner du temps avec vous ?	
Où avez-vous le sentiment que vous pourriez gagner du temps dans votre relation avec votre fournisseur ?	
Tout au long de la relation	☐
Au moment de la commande	☐
Sur les heures limites de commande	☐
Sur le temps de transport	☐
Au moment de la mise en service	☐
Nulle part	☐

55 % des entreprises estiment pouvoir gagner du temps à un moment ou à un autre de leur relation avec leur fournisseur.

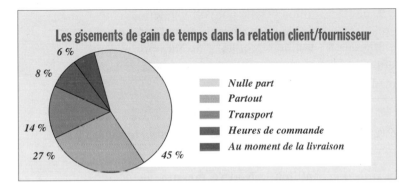

Les gisements de gain de temps dans la relation client/fournisseur

6 %
8 %
14 %
27 %
45 %

- Nulle part
- Partout
- Transport
- Heures de commande
- Au moment de la livraison

27 % pensent pouvoir gagner du temps sur l'ensemble de la relation.

27 % des entreprises estiment pouvoir gagner du temps sur l'ensemble de la relation avec leur fournisseur. Ce sont plutôt des entreprises importantes (plus de 500 salariés), qui ont elles-mêmes pour clients d'autres entreprises et possèdent des procédures de réception complexes. Plutôt mécontentes de leurs fournisseurs, elles leur reprochent notamment un certain manque de réactivité et de transparence. Dans cette catégorie, les entreprises ou services recevant des documents sont plus nombreux.

Les entreprises mécontentes semblent confrontées à un problème de structure logistique interne : processus de commande et de réception trop complexes ou mal organisés au sein de leur propre entreprise, qui entraînent des temps masqués dont le fournisseur est jugé responsable.

14 % pourraient gagner du temps sur le transport.

14 % des personnes interrogées pensent qu'elles pourraient gagner du temps sur le temps de port. Leur mode de commande est informel et s'adresse plus particulièrement à des fournisseurs internes.

Les échanges au sein d'une même entreprise entre différents sites souffrent d'un temps de transport trop long, jugé pénalisant par les destinataires.

8 % pourraient gagner du temps sur les heures limites de commande.

8 % de l'échantillon estime pouvoir gagner du temps en jouant sur les heures limites de commande, c'est-à-dire sur les horaires butoirs. Ces entreprises sont satisfaites des prestations de leur fournisseur, notamment en termes de délai.

6 % pourraient gagner du temps au moment de la livraison.

6 % de l'échantillon considère pouvoir gagner du temps au moment de la livraison. La proportion des marchandises destinées à être transformées/assemblées est plus forte dans ce groupe que dans le reste de la population.

45 % des entreprises estiment ne pouvoir gagner du temps nulle part.

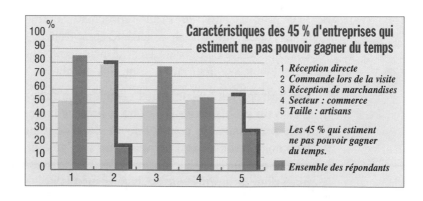

Ce groupe comprend plus particulièrement des petites entreprises qui vendent des marchandises et facturent à des particuliers, notamment dans le domaine du commerce. Leurs procédures de réception sont simples puisqu'elles reçoivent directement les marchandises.

En comparant leurs caractéristiques à l'ensemble de la population étudiée, ce groupe sur-représente des entreprises-artisans qui commandent lors de la visite de commerciaux.

Une segmentation de l'attitude face au temps.

Vos clients pensent pouvoir gagner du temps avec vous. Mais qu'attendent-ils de vous ? Ponctualité ou rapidité ? Et existe-t-il des différenciations sur ces deux critères ?

Ponctualité/rapidité : attentes partagées.

Il n'existe pas de préférence marquée pour l'un ou l'autre des deux critères : 51 % des destinataires privilégient la ponctualité ; 49 % la rapidité.

Le fait de recevoir de manière régulière ou saisonnière influence-t-il ce choix ? L'analyse selon la périodicité de la livraison montre que ce n'est pas le cas.

Fonction du destinataire : l'entreprise segmentée.

En matière d'attitude face au temps, on distingue deux grandes catégories de métiers ou de services.

La première privilégie plutôt la ponctualité. Elle comprend les métiers de la recherche et du développement, du marketing, de la production/logistique/qualité, et du juridique/financier/comptabilité.

La seconde préfère plutôt la rapidité. Elle regroupe les services achats/approvisionnements/expéditions, communication/commercial, informatique, ressources humaines, maintenance/entretien/services généraux.

Localisation Paris-province.

L'exigence de gain de temps est-elle liée à la localisation géographique ? Il n'y a aucune liaison entre la localisation Paris-province et le critère temps des individus interrogés.

La bonne couverture du territoire par les prestataires logistiques explique cette situation.

Proximité client/fournisseur.

Les tests montrent qu'il n'y a pas de liaison significative entre le critère temps et la distance entre le fournisseur et son client (qu'ils soient dans la même région, ailleurs en France ou à l'étranger). Ce résultat tient sans doute à la qualité des moyens de transport et de communication modernes.

Seule incidence : lorsque le fournisseur est à l'étranger, la ponctualité est plus recherchée que la rapidité.

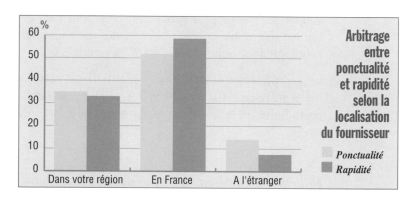

Arbitrage entre ponctualité et rapidité selon la localisation du fournisseur

Ponctualité
Rapidité

Types de marchandises.

Parmi les destinataires de marchandises, émergent deux groupes aux caractéristiques bien distinctes.

• Marchandises standard et volumineuses : ponctualité. 53 % des entreprises reçoivent des marchandises

qualifiées de standard, volumineuses et lourdes...
L'acheminement est confié presque exclusivement à
un transporteur de messagerie. Le critère temps de
ces individus est la ponctualité.

• Marchandises précieuses : rapidité. Les marchandises réceptionnées par les personnes de ce groupe,
qui comprend 25 % des réponses, sont précieuses,
coûteuses et principalement acheminées par transporteurs express et par La Poste, avec une forte exigence de rapidité.

Enfin, pour le reste de la population, aucun critère
temps ne se dégage.

Parmi les destinataires de documents, aucun groupe
homogène n'apparaît après analyse. Il n'y a pas de
lien entre la nature des documents reçus, le mode de
commande, l'acheminement et le critère temps.

La qualité et le prix ne sont plus les seuls critères de satisfaction du client à l'égard de ses fournisseurs. Le temps, le respect des délais, sont désormais des critères majeurs. Les clients attendent de leur fournisseur un service global intégrant une égale qualité de circulation des flux physiques (marchandises) et des flux d'informations (documents).

Toutes les entreprises n'ont pas encore tiré toutes les conséquences des deux constatations précédentes.

Elles devraient pourtant effectuer au plus vite une véritable révolution culturelle et organisationnelle, car tout dysfonctionnement – retard de livraison, difficulté à résoudre un problème du client – se répercute sur son image globale et met en cause la pérennité de la relation client/fournisseur.

Une relation désormais globale s'instaure entre le client et le fournisseur, qui ne s'arrête pas à l'envoi d'un bon de commande et à la livraison d'une marchandise.

Cette relation naît avant la vente, se renforce pendant la vente et perdure avec le service après-vente.
Elle est multiple : flux de marchandises (matières
premières, produits manufacturés, échantillons…)
et flux d'informations (documentations publicitaires,
lettres, bons de commande, factures…) se développent à un rythme de plus en plus soutenu, partici-
pant, au même titre que la relation de "commercial
à acheteur", à la satisfaction ou à l'insatisfaction du
client, et finalement au succès de l'entreprise.

Ainsi, l'entreprise qui gagnera demain des parts de
marché sera celle qui visera l'excellence logistique
globale sur l'ensemble de ses flux de marchandises
et de documents.

Celle-là fidélisera ses clients et en gagnera de nombreux autres.

Améliorer le service : transport et logistique, leviers stratégiques de performance ?

Le temps et le respect du délai exercent donc une influence essentielle sur l'image et la qualité de la relation du fournisseur auprès de ses clients.

Or le respect des délais dépend en grande partie du choix du mode de transport, et des services logistiques de l'entreprise. Transport et logistique apparaissent ainsi comme de véritables leviers de performance entre fournisseur et client.

Pour explorer l'implication du rapport Qualité/Temps sur ces leviers, nous avons suivi deux approches différentes :

• Une analyse macro-économique du secteur des transports : il s'agit d'un état des lieux des solutions adoptées par les entreprises en matière de mode de transport. Il permet d'effectuer un constat statique sur le passé et le présent.

• Une enquête sur le terrain, auprès des responsables logistiques de nombreuses entreprises, qui apporte une ouverture sur les solutions d'avenir.

Transport
et rapport
Qualité/Temps

*Le transport de demain
créera des maillons
intermodaux terrestres-
maritimes-aériens.
Associés aux prestations
télématiques, ils permettront
une meilleure compétitivité,
des délais réduits
et une fiabilité accrue.*

Ce chapitre repose sur une analyse macro-économique du secteur des transports de marchandises et d'informations en Europe et en France. Sources (1) : INSEE, Ministère des Transports, Direction des transports terrestres, OEST, Eurostat, CEMT, Assemblée nationale-délégation pour les Communautés européennes, CNET, UIT, centre de renseignements des Douanes, Club Eurotrans. Il est complété par des interviews de chargeurs.

Michel Rouquès
QUANTIX
Consultant

(1) Sources page 196.

Le secteur des transports est aujourd'hui en pleine mutation, avec la dérégulation induite par la libéralisation et la construction du grand marché européen, l'âpreté de la concurrence, la pratique du juste à temps et l'explosion des échanges d'informations par voie télématique.

L'intégration de l'informatique et de la télématique dans les transports s'accélère. Elle crée un gisement très important de nouveautés et de services : pour de nombreux experts, la gestion de l'information liée au déplacement des marchandises engendrera bientôt beaucoup plus de valeur ajoutée que le transport physique lui-même.

C'est pourquoi avec l'analyse des moyens de transport traditionnels – chemins de fer, routes, oléoducs ainsi que la navigation (fluviale, maritime et aérienne) – il est aujourd'hui indispensable d'aborder également le second volet du transport, constitué par le secteur des télécommunications.

La présente analyse a ainsi pour objectif de chercher à identifier l'influence du rapport Qualité/Temps sur l'évolution des transports de marchandises et d'informations.

Dans ce but, notre approche comporte une double dimension :

• Une observation de l'évolution du transport traditionnel de marchandises, en tentant de dégager les tendances qui président à son évolution et les critères de choix des chargeurs, en France et en Europe.

Nous avons complété cette approche par des témoignages d'entreprises sur leurs choix entre les différents modes de transport.

• Une analyse particulière des types de transports pour lesquels le temps constitue une variable a priori discriminante : le transport express et le transport de l'information.

Qualité et Temps, critères de choix du mode de transport des marchandises ?

Notre étude porte sur l'ensemble des modes de transport existants : terrestres (ferroviaire, routier, navigation intérieure et oléoduc), aériens et maritimes.

Pour la concision et la clarté du propos, seules sont retenues les analyses ayant permis de tirer des conclusions opérationnelles sur les critères de choix intermodaux.

En Europe, des choix intermodaux influencés par plusieurs facteurs.

Trafics terrestres : influence des conditions géographiques et historiques.

En 1990, les trafics terrestres à l'intérieur de la C.E.E. ont dépassé 1 000 milliards de tonnes-kilomètre (2) dont plus des trois quarts en routier.

> **La majeure partie des trafics est intérieure à chaque pays, 23 % correspondant à des flux intra-communautaires et 4 % quittant la C.E.E.**

La structure modale varie beaucoup suivant les types de trafics : si on exclut les flux quittant la C.E.E., la

---

(2) *Les statistiques concernant les oléoducs sont très incomplètes. Notons simplement que la France, l'Allemagne, le Royaume-Uni et le Bénélux réalisent au total 50 milliards de tonnes-kilomètre.*

route assure 83 % des trafics intérieurs, et elle ne réalise que 62 % des trafics internationaux intra-C.E.E. (pour le rail, les chiffres respectifs sont de 14 % et 15,5 %). La navigation fluviale réalise donc près du quart des trafics intra-C.E.E., essentiellement localisés dans l'Europe du Nord continentale.

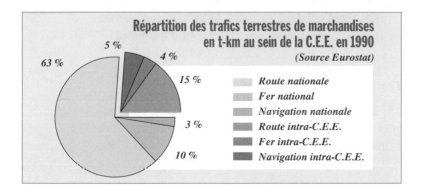

En matière de transports terrestres internationaux intra-européens, 4 pays concentrent la plus grande partie du trafic puisque 88 % des tonnages transportés sont chargés en Allemagne, aux Pays-Bas, en Belgique et en France.

Mais pour bien appréhender les transports terrestres internationaux intra-européens, il convient d'effectuer une segmentation modale. En effet, une très grande partie des tonnages correspondant aux relations importantes est transporté par voie fluviale et, nous le verrons plus loin, concerne des marchandises bien spécifiques (produits pétroliers, minerais et matériaux de construction).

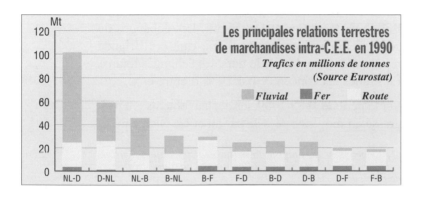

Les échanges intra-européens semblent conditionnés par des contraintes géographiques et historiques : barrières alpine et pyrénéenne, insularité du Royaume-Uni, capacité rhénane, puissance industrielle de l'Europe continentale du Nord, qui modèlent les échanges de produits lourds.

Première clé d'analyse : le choix du mode d'acheminement est donc en partie le fruit de contraintes externes auxquelles les chargeurs s'adaptent.

Trafics maritimes : l'insularité crée le trafic.

531 millions de tonnes de marchandises ont été chargées dans les ports maritimes de la Communauté et 1 269 millions de tonnes y ont été déchargées en 1989.

Les trafics maritimes dans les ports de la C.E.E. en 1989 *(Source C.E.M.T.)*				
	Déchargées		*Chargées*	
	Millions de tonnes	*Dont de la C.E.E.*	*Millions de tonnes*	*Dont vers la C.E.E.*
Pays-Bas	281	15 %	93	**58 %**
Italie	216	13 %	39	36 %
France	200	**21 %**	74	**57 %**
Royaume-Uni	175	**26 %**	128	**48 %**
Espagne	106	10 %	42	40 %
Belgique	94	**23 %**	55	20 %
R.F.A.	92	**27 %**	47	28 %
Grèce	32	**29 %**	25	34 %
Danemark	31	**29 %**	15	37 %
Portugal	27	**24 %**	8	**64 %**
Irlande	17	**52 %**	7	**74 %**
TOTAL	**1 269**	**20 %**	**531**	**47 %**

Les trafics maritimes intra-communautaires peuvent être estimés (3) à 289 millions de tonnes, les deux tiers étant en liaison avec les pays insulaires, Royaume-Uni et Irlande, et 55 % avec l'ensemble Belgique, Pays-Bas et Danemark. Les échanges de cet ensemble avec le Royaume-Uni et l'Irlande représentent à eux seuls le tiers des échanges totaux. La France est concernée par 29 % d'entre eux.

Sur la période 1985-1989, les déchargements ont progressé en moyenne de 3 % par an et les chargements

---

(3) *Le manque de fiabilité de certaines statistiques, parfois contradictoires et de qualité différente, incite à une très grande prudence.*

de 0,65 %, la faiblesse de ce dernier taux étant due au Royaume-Uni et à l'Espagne.

> **La répartition du trafic maritime intra-communautaire reflète là encore le caractère en partie exogène du choix du mode de transport : l'insularité engendre par nature un flux maritime plus important.**

Segmentation par produit : en amont ou en aval du processus de production, des modes de transport différenciés.

L'analyse du choix du mode de transport conduit inévitablement à se poser la question suivante : le type de produit transporté a-t-il un lien avec le mode de transport ? Quelle est la nature de ce lien et peut-on définir une typologie produit/mode de transport ?

Les chapitres NST/R (C.E.E. – O.N.U.)	
0	Produits agricoles et animaux vivants
1	Denrées alimentaires et fourrages
2	Combustibles minéraux solides
3	Produits pétroliers
4	Minerais et déchets pour la métallurgie
5	Produits métallurgiques
6	Minéraux bruts ou manufacturés et matériaux de construction
7	Engrais
8	Produits chimiques
9	Machines, véhicules, produits manufacturés et divers

Une grande partie des échanges intra-européens (en tonnage) s'effectue entre les Pays-Bas, l'Allemagne et la Belgique, et particulièrement par mode fluvial. Il s'agit de produits bien spécifiques : les produits pétroliers et les minerais pour la métallurgie représentent près de 50 millions de tonnes de fret fluvial des Pays-Bas vers l'Allemagne, tandis que l'essentiel des trafics par navigation intérieure de l'Allemagne vers la Hollande concerne des minéraux et matériaux de construction. Le trafic fluvial concerne en fait essentiellement les matières premières et les matériaux, c'est-à-dire, des marchandises brutes, à faible valeur ajoutée.

Soufflet : Route, fer, ou voie fluviale, nous utilisons chaque mode de transport en fonction de ses atouts spécifiques.

M. Jean-Louis David, directeur logistique de l'entreprise Soufflet, témoigne des différents choix intermodaux effectués par son entreprise.

"L'entreprise Soufflet réalise un chiffre d'affaires de 20 milliards de francs. Elle compte aujourd'hui trois branches principales : Soufflet Agriculture, qui collecte les céréales auprès des agriculteurs et fournit les intrans nécessaires à la culture. Souffet Négoce, qui est spécialisée dans le négoce de produits agricoles. Enfin Soufflet Industrie, qui se développe dans le domaine de l'industrie agro-alimentaire autour de plusieurs pôles : malterie, maïserie, meunerie, riz et légumes secs, viennoiserie, et bientôt biogazole.

Pour ces trois grands groupes d'activités, nous utilisons un ensemble complet de moyens de transport.

Le parc de camions est utilisé pour certains transports intersilos, ceux pour lesquels la route est la seule solution, puisque entre ces silos n'existent ni chemins de fer ni voies fluviales. La route apporte alors ses atouts traditionnels : souplesse, réactivité, et coût très compétitif.

Nous possédons également un parc propre de 141 wagons céréaliers, soit 6 trains entiers. Le chemin de fer est une réponse adaptée au transport de masse qui caractérise notre métier. La gestion d'un transport ferroviaire est, à volume transporté identique, largement plus simple et finalement moins coûteuse que la route.

La voie d'eau a longtemps été parfaitement adaptée à nos besoins : les produits céréaliers ne sont pas périssables à très court terme et supportent un transport prolongé. C'est pourquoi le transport fluvial, bien que largement plus lent, était très utilisé dans nos métiers. S'il l'est moins aujourd'hui, c'est essentiellement pour des raisons d'infrastructures : les chargeurs se sont équipés en fonction du fer et non du fluvial. Aujourd'hui, si le lot à transporter est au bord de l'eau, le fluvial est une solution économique. Mais dès qu'intervient un chargement ou un déchargement intermédiaire entre le silo et la voie d'eau, le fluvial est difficilement compétitif. Les opérations de manutention au déchargement défavorisent également le fluvial. Pour décharger un camion ou un wagon de céréales, il suffit d'ouvrir les portes, alors que pour décharger une péniche, il faut un aspirateur de forte capacité. La voie d'eau souffre donc de son manque de souplesse ainsi que du manque de dynamisme de ses promoteurs et de certains de ses partenaires."

Le trafic international intra-européen est quant à lui dominé par les échanges de produits manufacturés (20 % du total), dont les 3/4 s'effectuent par la route.

L'importance de la route pour les produits manufacturés résulte en grande partie de ses qualités intrinsèques : souplesse d'utilisation, limitation des ruptures de charge, qualité du parc due aux progrès techniques et au développement des infrastructures, etc.

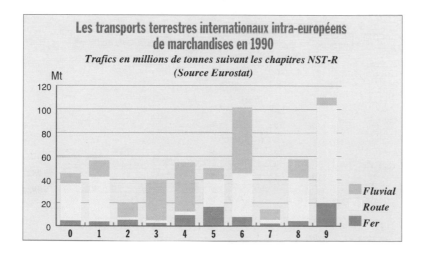

Les transports terrestres internationaux intra-européens de marchandises en 1990

Trafics en millions de tonnes suivant les chapitres NST-R
(Source Eurostat)

Le nombre d'intermédiaires entre le chargeur et le destinataire final tient lieu de seconde clé d'analyse. En règle générale, plus le chargeur est proche du client final, plus apparaît une exigence de souplesse et de rapidité : en amont de la chaîne de production, les matières premières acceptent un mode de transport assez rigide et lent (la navigation fluviale) alors qu'en aval, les produits manufacturés nécessitent un mode de transport souple et rapide (la route). Cette analyse doit cependant être complétée en intégrant les critères passifs déjà cités et d'autres critères tels que le coût du transport rapporté à la valeur de la marchandise transportée.

En France, mise en lumière d'autres critères de choix.

Influence de la valeur du produit sur le choix du mode de transport.

Les graphiques ci-dessous mettent en évidence la prédominance de la mer en matière de tonnages, suivie de la route, et le très faible poids de l'aérien (0,1 %). La référence aux valeurs des services de transport (4) fait ressortir, à l'opposé, la domination de l'air ; la

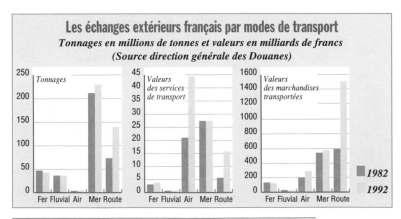

Les échanges extérieurs français par modes de transport
Tonnages en millions de tonnes et valeurs en milliards de francs
(Source direction générale des Douanes)

(4) La valeur des services de transport est le prix de la prestation (et non le coût).

mer reste en deuxième position, mais on note la très importante progression de la route sur une décennie.

En termes de valeurs des marchandises transportées, la route domine largement.

Sur la période 1982-1992, elle affiche la plus forte croissance avec plus de 83 % en tonnages, 139 % en valeurs des services de transport et 152 % en valeurs des marchandises transportées, alors que les progressions de l'aérien ne sont respectivement que d'un quart, 108 % et 75 %. Et le rail continue de s'affaiblir.

Coût du transport d'une tonne de fret (5) et valeur des marchandises transportées (en francs)				
	Coût d'une tonne de fret		Valeur d'une tonne de marchandises	
	1982	1992	1982	1992
Fluvial	12	21	939	922
Mer	128	118	2 584	2 514
Fer	69	107	3 218	3 785
Route	90	118	7 740	10 650
Air	53 440	88 890	423 000	592 400

Ces écarts de poids respectifs des différents modes de transport proviennent à l'évidence du coût relatif de la tonne transportée qui, en 1992, est par exemple 4 230 fois plus élevé pour l'aérien que pour le transport fluvial.

Il en ressort une importante différenciation du mode de transport suivant le type de marchandises transportées, le trafic aérien assurant les flux de produits notablement plus coûteux que les autres modes.

Apparaît donc clairement une troisième clé d'analyse : la valeur. Les modes de transport les plus rapides sont utilisés pour les marchandises ayant les valeurs les plus fortes.

---

(5) : *Les échanges de services de transport sont comptabilisés FAB-FAB (Franco à Bord), tandis que les échanges de marchandises sont valorisés CAF-FAB (Coût Assurance et Fret/ Franco à Bord). Les envois de moins d'une tonne ne sont pas retenus – source INSEE.*

*Les transports terrestres français de marchandises :
la distance, critère déterminant.*

Sur la période récente, la route accroît régulièrement ses parts de marché au détriment du rail et de la navigation intérieure. Il est cependant nécessaire de bien faire la distinction entre les tonnages transportés et le volume mesuré en tonnes-kilomètre (produit des tonnages par les distances parcourues par ceux-ci). Le graphique ci-dessous met bien en évidence que si la route est prépondérante en matière de tonnages, les parcours moyens sont relativement courts : 79 % sont inférieurs à 150 km, 59 % à 50 km.

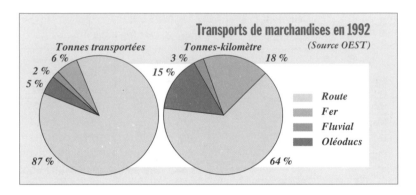

A l'opposé, les distances d'acheminement ferroviaire sont à 95 % supérieures à 150 km, et à 82 % supérieures à 300 km.

La distance intervient donc comme quatrième critère de choix du mode de transport : la route est préférée pour les courtes distances et le rail pour les longues distances.

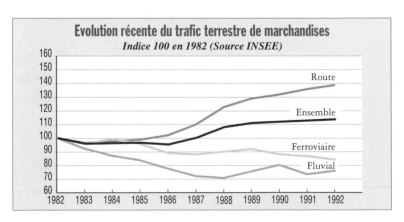

Eurodispatch : Pour offrir à nos clients la souplesse et la réactivité maximale, nous privilégions actuellement la route.

Monsieur Louis de Barrau, directeur général d'Eurodispatch, explique les spécificités de son métier et ses choix intermodaux.

"Eurodispatch est un ensemblier de services logistiques, spécialisé dans la distribution de documentations et d'objets promotionnels. Notre chiffre d'affaires est de 200 millions de francs, pour 250 salariés répartis en 7 unités spécialisées et fortement autonomes. Notre spécialité : offrir un service logistique adapté aux besoins des grands réseaux nationaux (stations services, réseaux de grands constructeurs automobiles...). Les besoins de ces réseaux sont très spécifiques : entre la maison mère et les différents établissements, le principe du flux tendu est de règle.

De plus en plus, nos clients souhaitent pouvoir passer commande jusqu'à 18 h pour une livraison le lendemain matin à 9 h. Pour cela, nous développons des solutions innovantes, comme par exemple un sas informatisé avec un système très performant de lecture optique de codes barres.

Dans cette recherche d'extrême rapidité et de ponctualité, nous privilégions, avec nos prestataires transport, la route. Celle-ci présente comme principal avantage d'être beaucoup plus souple, et d'assurer la livraison porte-à-porte de manière tout à fait fiable.

Bien sûr, si nos clients souhaitent que nous utilisions le fer, nous nous adaptons à leur demande. Pour les envois internationaux urgents, nous utilisons l'avion.

Lorsque l'urgence est moindre, nous pouvons utiliser le bateau : nous avons par exemple expédié récemment 1 million de guides d'une célèbre chaîne d'hôtels internationale par mer."

Segmentation modale par produit : plusieurs critères s'interpénètrent.

A la différence du trafic international intra-européen, le trafic français est principalement constitué de minéraux bruts ou manufacturés et de matériaux de construction qui représentent à eux seuls 47,4 % en 1992 des marchandises transportées par mode terrestre. Les produits manufacturés restent assez stables sur la période 1980-1992 autour de 11 à 12 %.

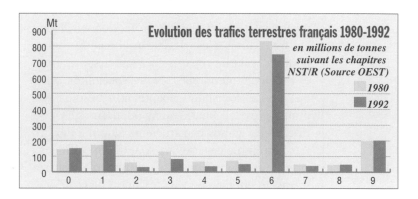

Les minéraux et matériaux de construction empruntent pour plus de la moitié les modes routier et fluvial. C'est pourquoi il paraît pertinent de présenter ces deux modes dans le graphique ci-après sous deux formes : ensemble et, hors minéraux et matériaux de construction.

Le mode ferroviaire assure un transport relativement bien réparti entre les différents chapitres de produits, le plus faible étant les engrais avec 3,5 %,

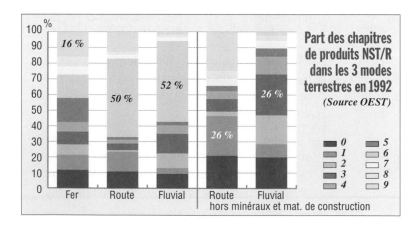

Les chapitres NST/R (C.E.E. – O.N.U.)	
0	Produits agricoles et animaux vivants
1	Denrées alimentaires et fourrages
2	Combustibles minéraux solides
3	Produits pétroliers
4	Minerais et déchets pour la métallurgie
5	Produits métallurgiques
6	Minéraux bruts ou manufacturés et matériaux de construction
7	Engrais
8	Produits chimiques
9	Machines, véhicules, produits manufacturés et divers

les trois plus forts étant les produits manufacturés (16,3 %), métallurgiques (15,7 %) et les minéraux et matériaux de construction (15,3 % en 1992).

L'analyse de ces chiffres peut être faite sous différents angles :

• Le chemin de fer occupe une place à part : chargeant indifféremment des produits à faible ou à forte valeur ajoutée, en amont ou en aval de la chaîne de production, il est utilisé prioritairement pour les longues distances.

• La voie fluviale transporte essentiellement des produits non manufacturés à faible valeur ajoutée.

• La route transporte également tous types de marchandises mais avec une forte proportion de minéraux et matériaux de construction, de produits alimentaires et de produits manufacturés. La route se substitue au fluvial lorsque celui-ci est impossible à utiliser (minéraux et matériaux de construction) et elle constitue la solution prioritaire pour les courtes distances et les produits manufacturés.

La rapidité, exigence croissante ?

L'analyse précédente montre que les critères de choix entre les différents modes de transport par les chargeurs sont multiples.

Elle doit être complétée par la prise en compte du critère temps, ce qui conduit à étudier deux domaines spécifiques :

• Le transport express, dont l'évolution est par nature liée à l'exigence de rapidité.

• Le transport d'informations dont l'évolution semble tendre vers l'instantanéité.

Croissance et évolution du transport express.

L'analyse du transport par rapport au critère temps conduit à s'intéresser à l'origine et à l'évolution du transport express.

La gestion du temps jouant un rôle de plus en plus important dans l'organisation des activités économiques, l'express est né en tant que réponse technique à la demande de flux rapides. Les flux économiques ont connu une brusque accélération, en raison de l'instabilité des marchés, de la nécessaire flexibilité des industriels et commerçants, mais également du souci de réduction des frais financiers existant sur les stocks et encours.

Il peut être défini comme le transport de petits lots de produits à forte valeur spécifique ou liés à un enjeu économique important, accompagné de prestations d'informations et avec des délais d'acheminement plus courts et plus fiables que ceux de la messagerie traditionnelle (6).

Le marché global.

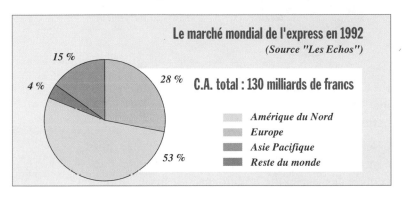

L'évaluation est particulièrement délicate, en raison notamment de la difficulté à définir avec précision le domaine couvert. Néanmoins, si on se limite au trafic de plis et petits colis, on peut estimer le marché mondial en 1992 à 130 milliards de francs, les Etats-Unis représentant 53 % du total et l'Europe 28 %.

Marché mondial de la messagerie express en 1992 *Perspectives de développement (Source Dafsa/Precepta)*			
	Europe	*Etats-Unis*	*Asie Pacifique*
Taille du marché express *	36	70	19
Croissance annuelle du marché	10/15 %	5 %	20/25 %
Positionnement / Cycle de vie	croissance	maturité	croissance

* *(international + domestique) (MdFF)*

Le marché français : évolution des besoins des entreprises.

Le marché français est très majoritairement national, la messagerie internationale ne représentant en 1990 que 27 % du marché total. Il est en forte croissance, tant pour les entreprises que pour les particuliers. Les efforts des opérateurs en matière de publicité, inhabituels dans le domaine des transports, n'y sont certainement pas étrangers.

---

(6) Cf. *La messagerie express en Europe, Club Eurotrans, Paris.*

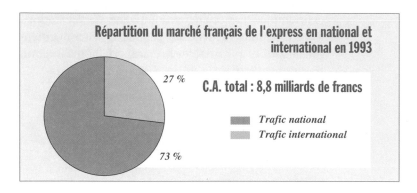

Répartition du marché français de l'express en national et international en 1993

27 %

C.A. total : 8,8 milliards de francs

■ *Trafic national*
▨ *Trafic international*

73 %

Le Club Eurotrans estime la croissance du marché intérieur à 8-10 % par an et celle des trafics internationaux à 10-15 %.

Comment expliquer cette croissance ? L'express concerne trois types d'envois : le fret, en concurrence avec les transports traditionnels, les colis entrant dans le champ de la messagerie et des activités postales, et les documents, concernés par La Poste et les télécommunications (7). L'importance des colis et du fret montre la nécessité pour les opérateurs de couvrir finement le territoire et d'utiliser des moyens terrestres adaptés aux types d'objets transportés.

> **Traditionnellement, le surcoût du transport express le prédestinait aux flux de petits objets à forte valeur ajoutée. Mais il concerne aujourd'hui également les flux massifs, pour une part spécifique des besoins des entreprises, que ce soit pour les flux amont, aval ou inter-usines/laboratoires/bureaux.**

La conjugaison des développements marketing (recherche de la satisfaction du consommateur, sophistications technologiques, opérations promotionnelles, service après-vente), des méthodes de production et de gestion des stocks (juste à temps, ou gestion du coût de la non-qualité), de l'utilisation

---

(7) Il est nécessaire de bien différencier les trois types de documents : d'une part les supports d'informations sans valeur légale ni exigence de présentation qui sont susceptibles d'être adressés par voie télématique, d'autre part les documents officiels (contrats, dossiers douaniers ou fiscaux, etc.) qui doivent être authentiques ou bénéficier de l'officialisation de la lettre recommandée, et enfin ceux nécessitant une présentation particulière (technique ou de courtoisie).

des temps masqués (envoi à la fermeture d'une usine pour livraison à l'ouverture de l'autre) et des besoins grandissants en matière de transfert d'informations et de prototypes a créé de nouveaux besoins pour toutes les branches d'activités. Par ailleurs, la rapidité et la fiabilité de la livraison sont devenues des arguments de vente primordiaux pour les entreprises de vente par correspondance et à distance.

Les prestataires : l'express, flux stratégique.

Il existe sur ce marché plusieurs types de prestataires qui se différencient par leur couverture géographique, le conditionnement des envois, les délais et les fréquences, la taille et le poids des lots acceptés, la fiabilité et les prestations complémentaires. Ils appartiennent à différentes catégories bien distinctes :
• Les intégrateurs, qui gèrent la chaîne de transport porte-à-porte.
• Les transporteurs routiers, grands messagers nationaux ou petites structures locales, généralement préexistant au service express. Leurs nouveaux réseaux mis en place privilégient le raccourcissement des délais sur la productivité physique.
• Les compagnies aériennes qui sont confrontées aux intégrateurs, utilisateurs de leurs services, et à la nécessité du porte-à-porte, bien éloigné de la prestation d'aéroport à aéroport.
• Les compagnies ferroviaires, toutes nationales, qui ont du mal à offrir les qualités de rapidité et de souplesse requises.
Le train est pourtant capable de vitesses élevées, supérieures à celles de la route : le développement de liaisons internationales à grande vitesse pourrait lui permettre de s'insérer parmi les prestataires de services express.
• Les postes qui offrent en Europe une qualité de service largement supérieure à celle de leurs homologues américaines en fournissant des prestations particulièrement peu coûteuses associées à une excellente couverture géographique. Malgré cette compétitivité des postes nationales, le service privé express de courrier se développe rapidement au sein de l'Union européenne.

• Les services dédiés, s'adaptant aux besoins particuliers du chargeur et qui font, suivant la formule du Club Eurotrans, de l'express "exprès".

Les opérateurs, compte tenu de leur histoire et de leur spécialisation, occupent des positions très différentes, suivant la segmentation nationale/internationale ou celle concernant le fret, les colis et les documents.

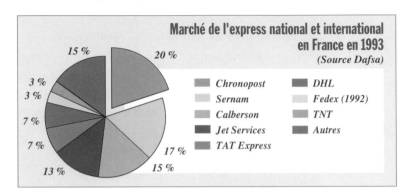

Le fret express est désormais stratégique pour les groupes européens de transport, en raison de "l'émergence de l'affirmation d'une exigence de rapidité" (8).

Mais les grands opérateurs, le plus fréquemment d'origine routière, exploitent des segments de marché multiples et offrent une gamme étendue de produits sur des réseaux au départ nationaux. Quatre entreprises se partagent 65 % du marché français.

La diversité de l'offre de transport express en tant que solution technique à un besoin économique de rapidité provient également de la pluralité de la demande. Mais quel que soit le mode de transport utilisé, la durée totale du transfert porte-à-porte est plus déterminante que la vitesse de déplacement des objets.

C'est pourquoi les opérations de transport express sont intégrées sous le contrôle permanent d'un suivi informatique, évitant au maximum les ruptures de charge et assurant la meilleure fiabilité.

(8) Cf Jean-Marie Gugenheim, OEST.

Des échanges d'informations marqués par l'instantanéité.

S'intéresser au transport à travers le critère temps conduit aujourd'hui inévitablement à aborder le transport de l'information. Celui-ci prend en effet une place de plus en plus prépondérante dans le fonctionnement de nos économies et semble symboliser le triomphe de l'instantanéité. Le transport de l'information s'effectue à travers deux médias : poste d'une part, télécommunications d'autre part. Le secteur des Postes et Télécommunications connaît une forte croissance, sa progression étant sensiblement plus élevée que celle du PIB, ce qui n'est pas le cas des transports proprement dits.

Les activités postales : croissance de la messagerie rapide.

Globalement, le nombre de plis déposés par les particuliers et les entreprises est en croissance constante de 4,4 % par an de 1987 à 1991.

Les correspondances sont en progression régulière, comme on peut le voir sur le graphique ci-dessous et dépassent les 12 milliards d'unités en 1991 ; mais il est à noter que les correspondances rapides s'accaparent la totalité de la progression, les plis non urgents atteignant exactement le même niveau en 1991 qu'en 1987.

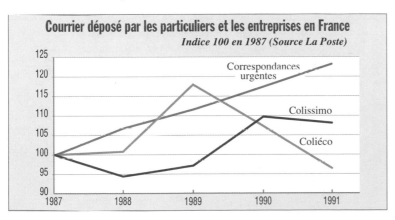

Courrier déposé par les particuliers et les entreprises en France
Indice 100 en 1987 (Source La Poste)

La messagerie reste à un niveau nettement inférieur. Mais là également, la notion de rapidité semble être déterminante pour les entreprises et les particuliers, avec le développement du Colissimo.

Tout comme dans le transport de fret, le mode ferroviaire est en régression, revenant de 68 à 51,6 millions de véhicules-km de 1987 à 1991, hors TGV postal. Ce dernier parvient tout juste à rester stationnaire à 0,42 million de trains-km. La route, qui s'octroie la part la plus importante avec 504 millions de km en 1991, connaît une progression de 2,2 % par an sur les quatre dernières années de la période.

Ce sont en fait les transports aériens qui connaissent la plus forte croissance (en moyenne de 2,7 % par an), mais ils ne représentent encore qu'à peine plus de 1 % des kilométrages de la route.

Les télécommunications et les transports immatériels : l'instantané privilégié.

L'équipement en lignes téléphoniques a connu un développement très important dans l'ensemble des pays de l'U.E. au cours des quinze dernières années, leur nombre augmentant de 3,3 % à 7,3 % par an en moyenne pour dix d'entre eux, qui connaissent une progression régulière. Mais deux pays présentent une courbe atypique :

• Le Portugal, encore sous-équipé par rapport aux autres pays de la Communauté, accélère son rattrapage depuis 1987.

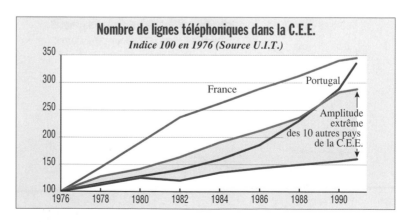

Nombre de lignes téléphoniques dans la C.E.E.
Indice 100 en 1976 (Source U.I.T.)

• La France qui, avec un taux de progression moyen de 8,6 % par an, a consenti un effort particulier d'équipement de 1976 à 1984, et se retrouve aujourd'hui parmi les pays les mieux pourvus dans ce domaine.

En France, au cours de la période, l'utilisation des lignes installées (trafics nationaux et internationaux) a connu une progression similaire, le nombre d'impulsions croissant de 8,8 % en moyenne. De nouveaux moyens de communication ont été mis à la disposition des entreprises et des particuliers, dont certains ont connu un développement fulgurant : le nombre d'abonnés à la télécopie, par exemple, a progressé de 76 % par an en moyenne de 1986 à 1990.

En tout état de cause, les moyens les plus récents de communication sont ceux qui progressent le plus : le nombre d'abonnés à la télécopie, au télétexte, au vidéotex et le nombre d'équipements terminaux de données raccordés au réseau public croissent à un rythme beaucoup plus important que celui du nombre de lignes. A l'opposé, les moyens plus anciens (télégrammes et télex) régressent légèrement (9).

> **Ainsi, dans les télécommunications, l'analyse met clairement en évidence le développement des technologies de l'instantané au détriment des moyens de communication de moindre rapidité.**

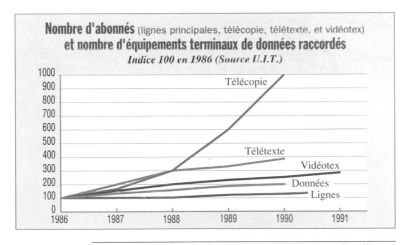

Nombre d'abonnés (lignes principales, télécopie, télétexte, et vidéotex) **et nombre d'équipements terminaux de données raccordés**
Indice 100 en 1986 (Source U.I.T.)

---

(9) Le nombre de télégrammes expédiés et le trafic télex en minutes ont tous deux décru de 19 % entre 1986 et 1990.

La route, vers laquelle se porte la plus grande partie des investissements en infrastructures, jouissant d'atouts considérables de souplesse, particulièrement adaptée aux courtes distances européennes, devrait bénéficier des dividendes de la croissance.

Le rail peut certes être plus rapide que la route, mais le chargeur recherche un délai et un prix pour un transport porte-à-porte. Le traitement des ruptures de charge, des temps masqués, de l'information, le suivi des flux intermédiaires et de la qualité globale seront déterminants pour la future compétitivité du rail.

Le transport aérien, inévitablement beaucoup plus coûteux que ses rivaux, continuera de concerner des produits très spécifiques, à forte valeur ajoutée, et les tonnages transportés ne pourront se maintenir qu'à un très faible niveau. Mais les exigences de rapidité et le développement éventuel d'appareils adaptés aux vols européens de courtes distances devraient lui permettre de répondre à d'autres besoins, liés en particulier à la demande croissante en matière de transport express.

L'explosion des télécommunications et de toutes les formes de télématique ne devrait pas se limiter à créer des effets de substitution, mais plutôt assurer le complément indispensable né du besoin grandissant d'échange d'informations. La gestion et la transmission de l'information générera certainement plus de valeur ajoutée que le transport physique de la marchandise. Le développement du transport express illustre parfaitement cette convergence : le transport et la restitution immédiate de l'information associée au transport physique de l'objet deviennent aussi importants que ce dernier et le supplanteront tôt ou tard.

Le transport de demain, pour éviter l'affrontement dual classique, créera des maillons intermodaux terrestres/maritimes/aériens. Associés aux prestations télématiques, ils permettront une meilleure adaptation des chaînes de transport tout en offrant, tant au niveau national qu'international, une meilleure compétitivité, des délais réduits et une fiabilité accrue.

Logistique
et rapport
Qualité/Temps

*La réussite passe
par le produit
de la meilleure qualité,
dans la quantité
et le délai voulus
par le client, tout
en ayant le coût total
de production
le plus faible.*

Ce chapitre est réalisé à partir d'entretiens semi-directifs réalisés auprès des directeurs logistique des entreprises suivantes : ABX, Belin, Bossard France, Compagnie Philips Eclairage, Distriphar, Intermagnum, Bien Joué, Symta Pièces, laboratoires Wyeth France.

Luc de Murard
SOFRESID CONSEIL
Consultant Logistique

La logistique était habituellement définie comme la gestion de l'ensemble des flux de produits et d'informations à travers les activités d'approvisionnement, de stockage, de production, de distribution et de SAV. On lui assigne généralement comme objectif d'assurer au moindre coût une qualité de service donnée.

Cette définition est aujourd'hui dépassée.

La logistique n'est plus et ne sera plus jamais une simple fonction d'intendance.

Elle est devenue un élément essentiel de la stratégie de l'entreprise car elle fait désormais partie du service rendu au client. Elle constitue un moyen de différencier les produits ou services sur les marchés et de gagner du terrain sur les concurrents.

C'est pourquoi ce chapitre ne s'adresse pas seulement aux directeurs logistique mais également à tous ceux qui recherchent des avantages compétitifs sur leur marché et qui veulent accroître la satisfaction de leurs clients.

La première question que les entreprises peuvent être amenées à se poser est celle de la place de la logistique dans leur stratégie : quels sont les enjeux de la logistique ? Peut-elle être un élément moteur dans la réussite d'une entreprise ? Est-elle perçue comme tel par les clients ?

La logistique, quels enjeux ?

La logistique joue un rôle majeur dans la stratégie globale des entreprises ainsi que dans l'amélioration de leur productivité. Elle couvre en effet un secteur très large et représente, par conséquent, un enjeu financier considérable.

On considère classiquement que la logistique recouvre trois secteurs de nature différente :

1. La logistique amont, liée aux approvisionnements.
2. La logistique de production, liée aux activités de fabrication et de montage.
3. La logistique aval, liée à la distribution physique des produits.

Si l'on additionne les frais générés par la traction d'approche (amont) et par la traction terminale (aval), on obtient des chiffres d'un montant respectable. On constate généralement que les coûts logistiques représentent 3 à 15 % du chiffre d'affaires et 10 à 50 % de la valeur ajoutée.

La décomposition des coûts logistiques dans l'industrie française suivant ces trois secteurs a été évaluée en 1993 par le BIPE (1).

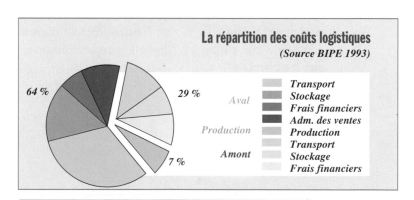

La répartition des coûts logistiques
(Source BIPE 1993)

64 %   29 %   *Aval*

Transport
Stockage
Frais financiers
Adm. des ventes
Production
Transport
Stockage
Frais financiers

Production

7 %   *Amont*

(1) *Bureau d'informations et de prévisions économiques.*

> **La logistique aval représente près des trois quarts de l'ensemble des coûts logistiques supportés par l'industrie française. Ce chapitre traite donc essentiellement de logistique aval. Mais l'aval de l'un n'est-il pas l'amont de l'autre ?**

Le tableau ci-dessous donne des exemples de coûts internes de logistique aval par secteur d'activité.

Répartition des coûts internes de logistique aval *en pourcentage du C.A. annuel*					
	Produits bruns	*Cosmétiques*	*Electro-ménager*	*Produits surgelés*	*Matériaux construction*
Transport de produits finis *(usine à centre de distribution)*	0,95	1,82	1,35	2,75	3,51
Entreposage, picking, préparation de commande	0,61	1,35	0,98	1,45	2,62
Traitements administratifs/ Assistance client	0,41	0,86	0,75	0,65	1,12
Direction et gestion du personnel	0,15	0,56	0,37	0,31	0,82
Coûts de possession *(frais financiers, assurance, etc.)*	1,65	1,12	1,02	0,95	1,54
TOTAL	**3,77**	**5,71**	**4,47**	**6,11**	**9,61**

> **La logistique est un domaine de l'entreprise où les potentiels d'économie sont les plus importants.**
>
> **Elle est également un levier d'amélioration du service au client, et donc de compétitivité commerciale, qui va bien au-delà du simple niveau de service (2).**

Une politique de management.

Clive Jeanes, directeur général de Milliken Europe qui recevait en 1993 le Prix européen de la qualité,

---

(2) Le niveau de service est défini par un ratio qui compare les commandes livrées ou réceptionnées complètes, à temps et sans litige d'aucune sorte au nombre total de commandes :

$$\frac{Commandes\ livrées\ (ou\ réceptionnées)\ complètes,\ à\ temps\ et\ sans\ litige}{Nombre\ total\ de\ commandes} \times 100$$

définit ainsi sa vision du management : "La réussite passe par le produit de la meilleure qualité, dans la quantité et le délai voulus par le client, tout en ayant le coût total de production le plus faible." (3)

Le rapport Qualité/Temps inscrit le délai dans une véritable politique de management ayant pour objectif central la satisfaction du client.

> **Le rapport Qualité/Temps intègre le délai comme un critère essentiel de réussite de l'entreprise, au même titre que la qualité ou le coût.**

Cette conception possède des points communs avec le Total Quality Management, TQM, qui renouvelle l'approche traditionnelle de la qualité, et dont Milliken est un adepte.

Cette dernière suppose d'optimiser le ratio qualité/coût, fondé sur l'hypothèse que la recherche de la qualité entraîne une augmentation des coûts.

Ainsi la gestion de la qualité était confiée à une fonction spécialisée dans l'entreprise, chargée d'arbitrer entre l'avantage offert par une meilleure qualité et le coût induit par cet avantage.

L'approche TQM part de l'observation inverse : la qualité maximale ne constitue pas un coût mais augmente au contraire les bénéfices par une diminution des coûts et une augmentation des ventes.

> **L'approche logistique fondée sur le rapport Qualité/Temps montre des points de convergence avec le TQM. Elle considère que l'entreprise qui recherche systématiquement une augmentation de la qualité et une diminution des délais de service au client, notamment des délais de livraison, dispose au bout du compte d'un réel avantage concurrentiel.**

---

(3) *Milliken Europe emploie 1 000 personnes dans 8 usines implantées dans 4 pays : Belgique, Danemark, France et Royaume-Uni. Ses prestations vont du tissage industriel à la production de tapis et de produits textiles anti-poussière.*

Il ne s'agit donc pas seulement de livrer vite le produit commandé par le client.

Il s'agit de satisfaire l'exigence temps du client sur l'ensemble des flux. Marchandises, documents et informations ne doivent plus seulement partir à temps de l'entreprise, mais également arriver à temps.

Une nouvelle organisation.

La prise en compte du rapport Qualité/Temps implique une véritable révision des méthodes de management de l'entreprise : dépasser la conception de l'offre au client sous l'angle "qualité/prix" ou "qualité/coût".

Elle aura alors des conséquences directes sur l'organisation logistique : simplification des lignes de produits, mise en place du juste à temps, faible niveau d'encours, procédures de livraison fiabilisées et accélérées.

Ces éléments sont la traduction opérationnelle d'une volonté stratégique globale de l'entreprise. Si cette volonté existe, l'ensemble de l'entreprise suivra. A condition bien entendu de mettre en œuvre les moyens adaptés, notamment des outils de mesure.

L'exemple de Milliken est là encore significatif.

Le magazine "La Qualité en Mouvement", édité par le Mouvement Français pour la Qualité résume ainsi la démarche de l'entreprise :

"La mesure des livraisons a été mise en place en 1986 chez Milliken. La première enquête client avait révélé que seules 77 % des livraisons étaient faites à temps. Milliken a maintenant la conviction qu'on peut atteindre presque la perfection si on le veut vraiment. L'an passé, l'usine de tapis de Beech Hill, en Grande-Bretagne a réussi le score de 99,6 % par rapport à la date escomptée par les clients. Parallèlement, pour 80 % des commandes reçues, le délai de livraison convenu correspondait à la demande du client. Une des usines françaises de tissage industriel vient de passer le cap de quatre années sans retard de livraison, et une autre a passé le cap des cinq années en mars 1994.

Les délais convenus ont également été réduits de 43 % à l'usine de tissage de Gand (Belgique).

Il faut noter que cette réduction ne provient qu'à concurrence de 6 % de l'utilisation des nouvelles technologies. Pour plus de la moitié, elle est imputable à l'amélioration des processus, la suppression d'opérations sans valeur ajoutée et des pertes de temps."

Les 6 commandements de Milliken Europe*.

Parmi les principaux enseignements que Milliken a tirés de ses enquêtes réalisées auprès de ses clients :

1. Ce qui importe le plus aux clients n'est pas forcément ce qu'en pense l'entreprise.

2. Les attentes des clients changent et se durcissent.

3. Les concurrents s'efforcent aussi de s'améliorer.

4. Ce que perçoivent les clients ne correspond pas toujours à la réalité. Mais cela reste ce qu'ils croient.

5. Faites connaître à vos clients tout ce qui s'améliore.

6. La qualité des produits et la ponctualité des livraisons sont toujours plus importantes que le prix aux yeux des clients.

Extrait du magazine "Qualité en Mouvement" n° 17, du Mouvement Français pour la Qualité.

Symta Pièces : l'ambition du service.

Créée en 1989, la société Symta Pièces a réalisé un chiffre d'affaires de 42 millions de francs en 1994. En forte croissance depuis deux ans, elle a embauché 8 personnes en 1994.

Symta Pièces offre à sa clientèle sur l'ensemble de la France des pièces de rechange adaptables pour tracteurs Fiatagri, moissonneuses-batteuses Lavera et New Holland ainsi que des pièces d'usure de matériels agricoles divers.

L'activité de Symta Pièces comprend :

• L'achat/approvisionnement auprès de fabricants de pièces détachées compatibles avec le matériel du constructeur.

• La mise à disposition de l'ensemble des références des 3 marques concernées.

• La livraison rapide des pièces commandées.

Symta Pièces gère plus de 20 000 références, livre entre 200 et 250 colis/jour en express et environ 30 colis/jour en messagerie.
L'approvisionnement des pièces majoritairement en provenance d'Italie est réalisé en J+2 et géré par Symta Pièces.

Symta Pièces livre ses clients sur l'ensemble de la France. Une des principales causes de réussite réside dans la souplesse et l'efficacité de son service clientèle :

• Ouverture le samedi.

• Commande possible jusqu'à 18 heures.

• Reprise immédiate des pièces suite à une erreur de commande du client.

• Livraison directe de l'usine au client pour des cas particuliers.

• Grande réactivité due à la petite taille de l'entreprise (27 personnes).

Les commandes de dépannage représentent 70 % de son CA et sont livrées le lendemain matin.

Une démarche progressive.

L'amélioration de l'organisation logistique se traduit dans les faits par une réduction de la non-qualité en préparation de commande, une diminution du coût de distribution, une amélioration du taux de service des clients partenaires.

La prise en compte du besoin du client selon le critère temps entraîne une double conséquence :

• Une amélioration du fonctionnement interne de l'entreprise (amélioration des processus, suppression des pertes de temps internes pour satisfaire l'externe).

• Une meilleure satisfaction du client.

Faut-il en conclure, parce que les résultats d'une démarche Qualité/Temps peuvent être globaux, que la mise en œuvre des solutions doit aussi être nécessairement globale ?

S'agit-il de faire "vite et fort" comme le propose le reengineering ?

Non, pas nécessairement.

> **Une politique d'amélioration progressive est possible, pas à pas. L'entreprise engageant une démarche Qualité/Temps peut faire évoluer son organisation logistique en jouant sur plusieurs leviers.**

• L'organisation de la chaîne logistique.

• Le recours à la sous-traitance et la mise en place éventuelle d'une démarche de partenariat.

• Le développement de la logistique intégrée.

• La mise en place d'outils logistiques permettant d'assurer un meilleur service au client.

L'UGAP : un produit + un service.

L'UGAP, établissement public, industriel et commercial (EPIC) avec un chiffre d'affaires de 6 milliards de francs assure la distribution professionnelle de matériels diversifiés (matériel de bureau, scolaire, informatique, technique et équipements d'hôpitaux) auprès de 50 000 établissements publics.

Jean-Pierre GUYOT, son directeur de la Distribution et de la Logistique, donnait lors des Assises de la logistique tenues à Paris en octobre 1994, la conception de la logistique de l'UGAP :

"Aujourd'hui, les attentes des clients sont les suivantes : des produits à prix tout compris, des délais fiabilisés, une disponibilité totale, des prix compétitifs. Cette évolution doit nous amener à redéfinir notre offre : désormais, pour nous, un produit = un objet + un service. Ce service inclut la performance logistique, particulièrement cruciale car notre métier a une forte saisonnalité. 75 % des livraisons sont effectuées entre la fin août et la mi-septembre pour le mobilier scolaire. Grâce entre autres à notre qualité de service logistique, nous devons passer d'un statut de simple fournisseur à un statut de partenaire offrant une valeur ajoutée."

La chaîne logistique, une réorganisation nécessaire ?

Pour répondre aux besoins du client en termes de rapport Qualité/Temps, l'entreprise doit être capable de livrer le bon produit, au bon endroit, à la date promise.

Cette simple promesse met en cause l'ensemble de l'organisation de la chaîne logistique. Si le mouvement vers une optimisation de la chaîne logistique est aujourd'hui largement engagé, plusieurs tendances coexistent, qui peuvent parfois s'avérer contradictoires.

Des filières logistiques réorganisées.

Les raisons des modifications des filières logistiques sont aujourd'hui multiples. Elles proviennent de plusieurs facteurs concomitants :

• La suppression des frontières européennes.

• Les fortes modifications du marché parfois brutales, par exemple en matière d'exigence de disponibilité des produits et de changements de comportement des consommateurs.

• La pression sur les coûts.

• Le renforcement de la grande distribution en Europe.

La filière classique comprend :

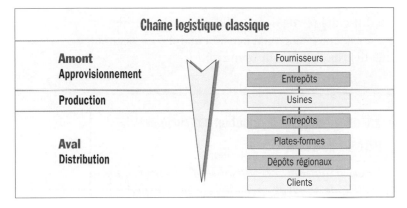

L'objectif des entrepôts de matières premières, d'articles de conditionnement ou de consommables est d'assurer une adéquation entre l'achat et l'approvisionnement.

Le rôle des entrepôts de produits finis est de stocker les produits, si nécessaire, et de préparer les commandes.

La plate-forme d'éclatement répartit les commandes par région.

Les dépôts régionaux regroupent les produits avec des produits d'autres entreprises et préparent les tournées.

Les liaisons entre les différents acteurs sont réalisées par transporteurs ou messageries express.

De la filière logistique attachée à un produit, dépend l'efficacité de sa distribution, c'est-à-dire la qualité de l'approvisionnement, les délais de livraison, les coûts.

> **Parmi les maillons qui constituent la chaîne logistique, on peut différencier ceux qui sont difficilement modifiables (usines, magasins de vente) et ceux qui, par leur flexibilité et leur faible coût d'investissement, sont susceptibles de changement (entrepôts, plates-formes, dépôts régionaux).**
>
> **Ce sont donc ces derniers qui, le plus souvent, sont sujets aux réorganisations, déplacements, agrandissements ou suppressions.**

La difficulté réside dans la définition de la filière la mieux adaptée aux exigences du marché en assurant une distribution à coût optimisé.

Intermagnum : Une distribution nationale avec les bureaux de poste.

Régis Brouillon, responsable d'Intermagnum, société de services spécialisée dans l'expédition de vin en étui cadeau, explique le choix d'organisation logistique effectué par la société.

"Lors du rachat d'Intermagnum par les vins Nicolas début 1992, l'organisation logistique a été revue en fonction de deux critères principaux :

• Les destinataires sont des particuliers qui n'attendent rien et sont souvent absents la journée.
• La rapidité de réaction, indispensable dans ce métier qui concerne le cadeau.

Intermagnum utilise la logistique de Nicolas pour le stock et la préparation de commandes. Puis elle a recours à la messagerie express qui assure un service rapide sur l'ensemble de la France avec une forte qualité de service, notamment grâce à la bonne connaissance que les préposés ont du terrain (clients, immeubles, digicodes) et qui s'appuie sur les bureaux de poste comme autant de relais locaux."

Plusieurs axes de remise en cause.

Belin : Une organisation conçue pour répondre à l'évolution des besoins de la grande distribution.

Gilles Thierry, responsable logistique de Belin, explique l'évolution de l'organisation logistique de Belin.

"Belin fait partie du groupe Danone. Avec un chiffre d'affaires de 2,1 milliards de francs, nous sommes le n° 2 français du biscuit. Les exigences de nos clients de la grande distribution ont évolué : on assiste à une augmentation des livraisons sur entrepôt parallèlement au développement d'une demande de livraison des magasins en direct. De plus, la fréquence des livraisons augmente (pour diminuer les stocks en magasin). Face à ces évolutions majeures, nous avons été amenés à modifier notre logistique. Nous avons élaboré un nouveau schéma directeur logistique comprenant la définition d'une nouvelle organisation, le choix de prestataires et la mise en œuvre du système d'information approprié. Nous avons ainsi regroupé les stocks dans une structure centralisée permettant d'assurer une meilleure efficacité en délai d'acheminement des produits. Ce dépôt central livre les entrepôts clients au-delà de 50 palettes et livre les dépôts régionaux de Danone pour les commandes de détail (30 % des produits livrés)."

Il existe actuellement plusieurs tendances dans la réorganisation de la filière logistique.

A- Centraliser les activités de distribution.

Pour analyser l'intérêt de concentrer sur un seul site le maximum d'opérations réalisées dans le cadre de la distribution des produits, on évalue les améliorations de la qualité de service et les économies d'échelle obtenues. La centralisation peut être réalisée au niveau :

• Horizontal, en regroupant les stocks de produits finis de différentes lignes de produits.

• Vertical, en concentrant sur un même site les opérations de réception, stockage, contrôle, reconditionnement, préparation des commandes, préparation des expéditions.

B- Sous-traiter totalement ou partiellement la distribution.

La sous-traitance à une société spécialisée qui optimise les opérations logistiques de plusieurs entreprises dans des plates-formes multiclients permet de réaliser dans certains cas de fortes économies. Et en s'appuyant sur une structure disposant des moyens et de la compétence nécessaires, l'entreprise devient plus à même de s'adapter à des changements de contraintes (marché, réglementation).

C- Situer au mieux des éléments de la chaîne logistique.

Les éléments flexibles sont les entrepôts, dépôts et plates-formes, par opposition aux usines et magasins de vente.

Afin de minimiser les ruptures, réduire les délais globaux et améliorer la qualité de service, il est nécessaire d'adapter la chaîne logistique au marché, comme par exemple :

• Plusieurs dépôts régionaux proches des clients et fonctionnant en *service center*.

• Un seul entrepôt permettant d'assurer la livraison rapide avec égalité de service (délai identique) sur toute la France et l'Europe.

• Un ou plusieurs magasins de matières premières approvisionnant sans risque de rupture les usines de production.

• Une plate-forme d'éclatement permettant de contrôler par région les transporteurs sous-traitants.

La chaîne logistique, une réorganisation nécessaire ? Un témoignage concret.

ABX : "Le groupe Hoffmann La Roche décide la livraison en direct de ses clients finals européens à partir d'une plate-forme unique à Strasbourg."

Jean-Pierre Girard, responsable logistique de la société ABX, a bien voulu répondre aux questions de Sofresid Conseil.

Sofresid Conseil : Qu'est-ce qu'ABX ?

Jean-Pierre Girard : La société a été créée en 1984 sur la base d'une idée consistant à concevoir pour les laboratoires biologiques des machines hématologiques (comptage des cellules sanguines), de dimensions beaucoup plus petites que celles existantes… Cette miniaturisation permet d'offrir aux laboratoires biologiques des équipements de faible encombrement. Ces machines sont complexes car elles comportent des éléments mécaniques, électroniques et chimiques.

ABX a intégré le groupe Hoffmann La Roche en 1990. En France, son chiffre d'affaires est de 200 millions de francs pour 250 personnes. ABX assure la conception et la réalisation de ses produits. La distribution à l'étranger est réalisée par Hoffmann La Roche pour les pays où le groupe est présent et par des distributeurs agréés dans les autres pays. Stratégiquement, la société se positionne avec une image qualité très forte. Une des clés de son développement a été le label qualité obtenu par sa percée sur le marché japonais.

Aujourd'hui, ABX exporte dans plus de 60 pays. Son chiffre d'affaires en France représente 25 % de son chiffre d'affaires total.

La logistique est-elle une dimension importante de votre métier ?

J-PG : La logistique doit véhiculer l'image de l'entreprise. Les machines sont livrées et déballées chez le client. Ces deux dernières opérations font partie du produit fourni par ABX.

Dans ce but, les transporteurs sont considérés comme des partenaires et ont été sensibilisés à l'image d'ABX auprès de ses clients.

Nous avons 4 types de flux différents en France :

1. Les flux des machines d'ABX vers les clients : ils concernent des machines dont le prix peut aller jusqu'à 600 000 F, dont le poids varie de 60 à 200 kg, qui doivent être déballées à la livraison et dont les emballages sont rapatriés.

2. La livraison des réactifs vers les clients (ré-approvisionnement des consommables) : il est assuré en 24/48 h par messagerie. Pour les produits à température dirigée, la livraison est effectuée en 24 h par messagerie express.

3. La livraison des pièces détachées en direct chez les clients ou chez les techniciens : ce flux est réalisé par une messagerie express qui peut livrer les produits dans le coffre de la voiture du technicien (le livreur dispose d'un double des clés du coffre).

4. La livraison des documents commerciaux vers les forces de vente, qui sont transportés par messagerie classique.

Quel est votre choix en matière de stockage ?

J-PG : Nous avons deux stocks.

1. Un stock de consommables soumis aux bonnes pratiques de fabrication de l'industrie pharmaceutique à Montpellier (3 semaines de couverture de stock).

2. Un stock de pièces détachées et réactifs, réparti entre Montpellier et les différentes filiales Hoffmann La Roche à l'étranger.

La volonté du groupe Hoffmann La Roche et d'ABX est de supprimer les stocks dans les filiales et de centraliser l'expédition à partir d'un stock central jusqu'au client final. Depuis quelques mois, ABX a modifié son mode de livraison des pièces détachées aux techniciens allemands et italiens. Cette livraison ne transite plus par les filiales Hoffmann La Roche et permet

d'éviter un stock dans chaque filiale. L'objectif de cette livraison directe est de :
• Réduire les stocks (gain financier).
• Mieux maîtriser la demande et ainsi les variations de production.
• Réduire l'obsolescence des produits.
• Finaliser l'ensemble de la chaîne logistique.
• Améliorer la qualité par réduction des ruptures de stock.

Cette nouvelle organisation nécessite de réduire les délais de livraison et se fait obligatoirement par une augmentation du coût du transport, compensée par une diminution du stock global. Mais elle apporte une amélioration du taux de service.

Cette organisation devrait progressivement être étendue pour :

1. Les pièces détachées.

2. Les réactifs au départ du dépôt Hoffmann La Roche de Strasbourg.

3. La livraison des machines sur l'Europe.

Une expérience est mise en place à partir d'un dépôt centralisé Hoffmann La Roche à Strasbourg pour les réactifs dans un premier temps.

Parallèlement, ABX mène la même expérience pour les pièces détachées jusqu'au technicien.

Rencontrez-vous des difficultés particulières ?

J-PG : Les freins existant à l'extension de cette organisation sur l'Europe sont essentiellement :
• La recherche de partenaires fiables.
• La mise en place d'un système de récupération des informations du transporteur (EDI).
• La standardisation des modes de fonctionnement des différents transporteurs.

Afin de mieux maîtriser la chaîne logistique dans son ensemble, l'aspect transport des produits depuis les fournisseurs jusqu'à ABX pourrait être revu. Ce transport pourrait être piloté et payé par ABX afin de mieux maîtriser la qualité et de réduire les coûts.

La sous-traitance et le partenariat logistique, des solutions adaptées ?

L'entreprise entreprenant une démarche Qualité/Temps doit se poser une question essentielle : arriverai-je à satisfaire la demande temps de tous mes clients avec ma propre organisation logistique ?

Or, le plus souvent, elle ne dispose pas ou ne souhaite pas se doter de l'infrastructure nécessaire pour offrir une qualité de service équivalente et maximale à l'ensemble de ses clients.

Elle doit ainsi envisager de recourir à la sous-traitance : quelle forme doit-elle prendre ? Quel type de relation est-il nécessaire d'établir pour respecter les objectifs et l'organisation de l'entreprise ? Plusieurs solutions sont envisageables.

La sous-traitance a été développée par les donneurs d'ordre pour atteindre plusieurs objectifs :

• La réduction des coûts, notamment dans le cadre de délocalisations.

• La réduction des investissements connexes afin de ne pas prendre en charge ces investissements.

• Le recentrage sur le métier de base.

• L'absorption des fortes variations de volume (sous-traitance de capacité).

> **Depuis quelques années, la recherche croissante de gains de productivité et l'attirance exercée par le modèle japonais ont généré de grands changements dans les relations entre donneurs d'ordre et sous-traitants : le concept de partenariat – né dans le domaine de la logistique – s'est développé.**

96

Distriphar : Qualité de la distribution pharmaceutique et suivi des performances des transporteurs.

Distriphar est une filiale à 100 % de Roussel Uclaf, dont la vocation est la distribution de produits pharmaceutiques. Le chiffre d'affaires des produits distribués est de 9 milliards de francs. Christian Coltat-Gran, directeur technique et logistique, explique l'organisation de Distriphar.

"Les métiers de Distriphar sont :

• La promotion en direction des officines : 50 % des officines pharmaceutiques sont visitées dans le but de leur présenter des produits pharmaceutiques.

• La distribution pharmaceutique vers les grossistes répartiteurs, les hôpitaux, les officines, les équipes de visiteurs médicaux, les laboratoires d'analyse, les médecins, les grandes surfaces pour les produits cosmétiques et para-pharmaceutiques.

Distriphar vend 360 millions d'unités par an, reçoit 500 palettes par jour, réexpédiées sous forme de palettes entières, de colis usine, de colis de détail. Le transport est sous-traité auprès de 20 prestataires : les petites livraisons (< 20 kg) sont réalisées par La Poste (24 h à 4 jours) ou messagerie express (18 h) ; les livraisons moyennes par messagerie ou groupage (24/48 h) ; les grosses expéditions par affrètement (24 h).

Distriphar attend de ses prestataires transport le respect de l'éthique pharmaceutique (bonnes pratiques de distribution) se concrétisant par des règles opératoires précises, une certification ISO à moyen terme, des performances correctes (suivies par un tableau de bord) et à terme, un service identique sur l'ensemble de la France (24 h) quel que soit le département avec le respect des heures de livraison pour les grossistes.

Des indicateurs de suivi des performances des transporteurs permettent d'améliorer constamment la qualité de service globale.

Enfin, Distriphar réfléchit actuellement à un EDI aval la mettant en liaison avec les grossistes et les transporteurs sur les données suivantes : factures de Distriphar aux grossistes, copie de l'ordre de mission du transporteur au grossiste, compte-rendu d'anomalies de transport du transporteur à Distriphar."

Une logistique
de plus en plus complexe.

La mise en flux tendus des échanges de produits a en effet entraîné plusieurs conséquences :

• Une complexification du métier de la logistique qui nécessite un savoir-faire spécifique (méthode et gestion de suivi).

• D'importants investissements pour répondre aux nouvelles exigences (EDI, plates-formes, transports rapides...).

Répartition de la sous-traitance
Pourcentage des dépenses sous-traitées (Source BIPE 92)

Amont

51 %

Aval

64 %

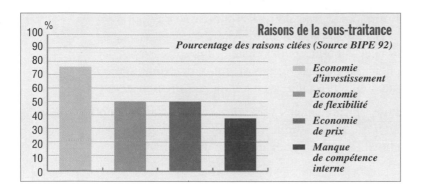

• Des problèmes d'adéquation charge/capacité nécessitant de disposer de moyens de lissage (outils et moyens permettant d'absorber les fluctuations de la demande du client).

La logistique réunit donc les conditions propres à favoriser la sous-traitance à un opérateur externe disposant de la capacité d'investissement, des compétences propres, et susceptibles d'offrir des prestations compétitives.

Des difficultés concrètes.

La sous-traitance, favorisée par l'évolution économique, est cependant parfois rendue difficile par la nature des problèmes à résoudre.

La logistique est en effet le plus souvent partie prenante dans les objectifs internes de l'entreprise (facturation, planification de la production...) et devient alors difficilement intégrable par un opérateur externe.

Elle est également très impliquée dans le fonctionnement de l'entreprise (facturation, planification de production), alors que les responsabilités et structures en charge de ces opérations sont parfois mal délimitées.

Enfin, par le biais de la distribution ou de l'approvisionnement, l'opérateur logistique a connaissance de données confidentielles (liste des fournisseurs et des clients, campagne de lancement et de promotion…) que l'entreprise n'a pas intérêt à voir divulguer.

Pour surmonter ces obstacles et sous-traiter leurs opérations logistiques, certaines entreprises ont choisi d'engager une démarche de partenariat.

Une démarche formalisée.

Wyeth France : Le partenariat, c'est disposer d'une qualité de service logistique sur l'ensemble de la chaîne.

Sofresid Conseil a rencontré Dominique Thisse, responsable de la distribution de Wyeth France.

Sofresid Conseil : Pouvez-vous nous décrire les laboratoires Wyeth France ?

Dominique Thisse : Les laboratoires Wyeth France appartiennent au groupe American Home Product Corporation, qui se situe dans les dix premiers groupes mondiaux du secteur pharmaceutique. Les laboratoires Wyeth France sont la première filiale internationale du groupe.

L'activité pharmaceutique des laboratoires Wyeth France concerne cinq domaines principaux : l'hormonothérapie féminine (contraceptifs oraux et traitement de la ménopause), système nerveux central (anxiolytiques et hypnotiques), la rhumatologie, les veinotoniques et les laits infantiles.

Le centre de distribution pharmaceutique emploie 37 personnes.

Quelle est l'organisation logistique aval des laboratoires Wyeth France ?

DT : Nous nous sommes dotés d'un centre de distribution à Blois, qui permet de centraliser les opérations logistiques afin d'assurer une qualité de service maximale sans dégrader les coûts. Il traite en moyenne 230 commandes/jour, 30 tonnes/jour, 4 000 cartons/jour.

Les destinataires sont :

• Des grossistes répartiteurs ou dépositaires (85 %).

• Des hôpitaux et maternités (2 %).

• Des transitaires à l'exportation (8 %).

Nous assurons aussi l'échantillonnage à l'intention de 650 visiteurs médicaux et délégués nutritionnels.

Vous parlez de qualité de service. Que signifie-t-elle concrètement ?

DT : Dans la distribution pharmaceutique, la qualité de service ne se mesure pas en taux de service mais en absence totale de rupture de stock. Elle induit la mise en place d'un certain nombre d'actions et de procédures.

La qualité pharmaceutique nécessite également un suivi total des produits, c'est-à-dire une identification des numéros de lots pour assurer la quarantaine et la gestion FEFO (First expired, first out) ainsi qu'un suivi précis des numéros de lots envoyés aux clients.

Nous avons aussi commencé à mettre en œuvre un projet ISO dont le but est de compléter les "bonnes pratiques de fabrication et de distribution" en vigueur dans l'industrie pharmaceutique.

Nous avons un tableau de bord qualité permettant de suivre quotidiennement l'activité, le traitement du portefeuille de commandes client par client, les litiges.

Nous gérons par conséquent un plan d'action qualité comportant une réunion hebdomadaire de suivi d'actions (de l'ordre de 40 points d'actions pratiques).

Nous sommes en train de mettre en place un EDI avec les grossistes répartiteurs (85 % du volume).

Cet EDI amont (transmission des commandes) assurera une absence d'erreurs et augmentera la rapidité globale de traitement des commandes.

Les hôpitaux, qui sont nos clients à délais urgents, sont traités systématiquement par transport express.

Comment cette qualité de service est-elle répercutée sur les sous-traitants ?

DT : Là est l'enjeu du partenariat. L'objectif de qualité de service est répercuté sur les sous-traitants par un partenariat organisé. Une série d'actions ont été engagées dans ce sens.

Une charte de qualité a été définie en commun et un accord formalisé, fondé sur cette charte, a été signé avec les principaux d'entre eux.

Le suivi d'indicateurs de performance est assuré transporteur par transporteur. Il porte par exemple sur le respect des heures d'enlèvement, la casse, les délais moyens de livraison, les délais de remontée d'information.

Un EDI aval est en cours de mise en place avec les transporteurs permettant aux plates-formes de départ de préparer la réception et l'éclatement de nos colis.

Des réflexions communes avec les partenaires, concernant notamment la lecture de codes barres par les transporteurs, ou l'extension de projets EDI (bordereau de livraison avec les clients), sont également menées.

La réussite du partenariat logistique mené par les laboratoires Wyeth France avec les transporteurs repose donc sur une double dimension :

• La définition claire et formalisée des objectifs et des moyens à mettre en œuvre par chacun des deux partenaires d'une part.

• La mise en œuvre de procédures de suivi efficientes permettant de s'assurer en permanence de la cohérence entre la prestation du transporteur et les objectifs de qualité des laboratoires Wyeth France.

> L'expérience montre que la mise en place d'une sous-traitance logistique fondée sur le partenariat nécessite de suivre une démarche cohérente et un certain nombre d'étapes clés :

A- Sélection des fournisseurs.

Cette phase comprend notamment :

• La diminution du nombre des fournisseurs.

• L'analyse de leur pérennité.

• La définition d'une charte qualité/exigence ISO.

B- Organisation des liens de partenariat.

Les liens doivent être organisés selon cinq axes :

• L'élargissement des compétences du fournisseur par transfert du savoir-faire spécifique de l'entreprise.

• L'adaptation réciproque des organisations et structures.

• La mise en place d'un dialogue structuré (réunions périodiques, interlocuteurs privilégiés).

• La responsabilisation du fournisseur.

• La définition de procédures de fonctionnement.

C- Suivi des partenaires.

La troisième étape permet de s'assurer de la qualité de la relation sur le long terme. Elle comprend notamment :

• La définition, en collaboration, d'indicateurs de performance.

• La mise en place d'un tableau de bord.

• Des enquêtes clients/contrôles ponctuels.

Catalogue Bien Joué : La sous-traitance, pour optimiser qualité et coûts.

Jean-Luc Colonna d'Istria, directeur général de la société Bien Joué, fait part de sa stratégie logistique dans le domaine de la sous-traitance et du stockage/préparation des commandes.

Sofresid Conseil : Comment est né Play Bac Direct ?

Jean-Luc Colonna d'Istria : Créée en 1986, l'entreprise Play Bac comprend aujourd'hui les activités suivantes :

• Edition Play Bac : édition des jeux éducatifs, qui réalisait un CA de 7,6 millions de francs en 1994.

• "Les Incollables" en association avec Hatier, avec un CA de 50 millions de francs en France en 1994.

• Play Bac Direct, créée en 1993, qui développe la vente par correspondance de produits éducatifs pour enfants sur la base d'un catalogue de cadeaux (CA de 17 millions de francs en 1994).

Play Bac Direct est issue de la collaboration entre le savoir-faire de Play Bac dans le secteur du jouet et de mon expérience dans le domaine du marketing, de la qualité de service et de la VPC.

L'analyse et la comparaison des marchés américains et français du jouet éducatif réalisées en 1991/1992 ont en effet permis d'identifier une demande en croissance, conjuguée à une offre très pauvre.

La création du catalogue "Bien Joué" est la réponse aux attentes du marché qui souhaite des produits astucieux, correspondant aux besoins des enfants, indépendamment des pressions publicitaires et distribués rapidement à domicile.

Qui dit VPC, dit logistique... Quelle est votre organisation en la matière ?

J-LCI : Il faut d'abord préciser que la qualité de service est un objectif visé par chacune des activités de Bien Joué. C'est en suivant cette approche que Bien Joué a entièrement sous-traité la distribution de ses produits.

Les prises de commande parviennent par courrier (70 %) ou par téléphone (30 %). Les commandes sont saisies par le personnel de Bien Joué puis transférées par liaison téléphonique (Transfix par France Télécom) à un routeur très important, à qui Bien Joué sous-traite la totalité de la logistique, c'est-à-dire le stockage des produits, la préparation des commandes et la mise à disposition des colis aux transporteurs.

Le choix du transporteur est réalisé par le client lui-même qui décide d'une livraison à J+5/6 ou J+1.

Pourquoi avoir sous-traité la logistique ?

J-LCI : Le choix d'une sous-traitance totale de la logistique a été fait afin de maximiser la qualité de service – l'objectif est atteint puisque la totalité des lancements s'est déroulée sans incident – et cela sans mettre en œuvre de structure interne. La facturation se fait en fonction du nombre de palettes et du nombre de colis expédiés, qui constituent des frais variables.

Quant à l'offre de distribution des produits en J+1, elle tient à notre volonté marketing de répondre à une forte attente des consommateurs VPC dans le domaine du cadeau à être livrés très rapidement (livraison rapide ou à date fixée par le client dans l'ensemble de la France).

On constate notamment que, lors des prises de commande par téléphone, les livraisons en express correspondent à 40 % des commandes. L'offre d'une livraison J+1 sur toute la France est un plus indéniable en qualité de service et parfois en prise de commande (de nombreuses prises de commande sont réalisées le 22 décembre pour le 24 décembre).

Grâce au recours à la sous-traitance, nous disposons d'une structure logistique dont le coût est exactement proportionnel à l'activité, avec une réduction importante de la part des frais fixes.

L'intégration de la chaîne logistique, choix d'efficacité ?

La prise en compte du rapport Qualité/Temps nécessite, on l'a vu, une nouvelle conception de la relation de l'entreprise avec son environnement : elle doit, dans tous ses échanges, chercher à répondre "vite et bien" à la demande du client. Cette attitude suppose que toutes les composantes de l'entreprise – marketing, commercial, production, logistique et même recherche – soient capables de réagir vite et de travailler ensemble avec le maximum d'efficacité. Cela suppose également que l'entreprise ait une vision globale de son marché : qu'elle cherche à satisfaire non seulement son client, mais également le client de son client. Pour atteindre ces deux objectifs, l'intégration de la chaîne logistique – dans l'entreprise et entre entreprises d'une même filière – constitue un enjeu essentiel.

Des systèmes de pilotage intégrés dans l'entreprise.

Il est aujourd'hui admis que l'optimisation individuelle des maillons de la chaîne logistique ne permet pas de disposer d'une chaîne globale optimisée et génère des relations conflictuelles entre les acteurs responsables des différents maillons.

On constate ainsi qu'une gestion découplée des prévisions de vente, de l'inventaire et de la gestion de stock, des achats, des approvisionnements, de la gestion des commandes et de la planification de la production multiplie les stocks de sécurité. La variabilité de la demande est alors amplifiée à chaque étape décisionnelle.

Outre les solutions de rationalisation de la chaîne logistique elle-même (mise en place de plates-formes de dégroupage, réduction du nombre de fournisseurs, optimisation de la localisation des entrepôts...), il semble essentiel de disposer d'un pilotage logistique intégré, c'est-à-dire :

• D'outils de gestion performants et automatisés (gestion des commandes, prévision de ventes, paiement et facturation...).

• D'une organisation facilitant le transfert d'information et conciliant les responsabilités individuelles avec les objectifs globaux de la fonction logistique.

• D'outils de liaison efficaces (EDI) entre les différents maillons de la filière et les différentes fonctions de gestion.

Le pilotage logistique intégré doit tout particulièrement permettre d'assurer le lien entre la demande instantanée (prise de commande ou sortie enregistrée par les caisses) et l'ensemble des acteurs de l'entreprise : logistique, production, marketing.

Une intégration de la chaîne logistique interentreprise.

L'intégration de la logistique n'est pas seulement nécessaire au sein d'une même entreprise : elle est également une source de productivité et d'amélioration du service au client dans les relations interentreprises au sein d'une même filière.

Lors d'un colloque organisé le 14 juin 1994 par Patrice Netter, l'Institut des hautes études logistiques, sous le patronnage de "Logistique Magazine" et de l'Aslog, Roy Shapiro, professeur à la Harvard Business School (USA), faisait part de sa réflexion sur la relation producteurs-distributeurs et sur les possibilités d'intégration de la chaîne.

Cette réflexion est caractéristique des possibilités de progrès offertes par la logistique intégrée dans les relations entre fabricants et distributeurs.

Il existe plusieurs types de coûts dus à une mauvaise coordination.

Le premier consiste à reproduire les mêmes actions à plusieurs étapes de la chaîne de distribution. Le détaillant, comme le producteur ou le grossiste, fait des inventaires. Le fabricant a alors une capacité de production excessive et le grossiste a trop de place. Les produits sont livrés dans un entrepôt puis dans un autre.

Le deuxième concerne les occasions manquées du fait d'une mauvaise coordination de la chaîne d'approvisionnement, en particulier dans le domaine du transport.

Il faudrait une meilleure coordination du stockage. Cela permettrait de faire des chargements multiples pour servir plusieurs clients dans un même endroit avec un seul camion.

Enfin, l'offre et la demande ne correspondent pas toujours. Cela entraîne des ruptures de stock ou au contraire des excédents. Le coût global d'une mauvaise coordination peut être impressionnant.

Aux Etats-Unis, 25 à 30 % des ventes peuvent être grevées par ces coûts. Dans l'épicerie, il existe des gaspillages flagrants.

Procter & Gamble, par exemple, a mesuré la durée nécessaire entre l'arrivée de matières premières à l'usine et la vente finale d'un produit au consommateur. Il s'écoule un délai très long, de 43 semaines, qui représente 100 milliards de dollars d'inventaire tout au long de la chaîne.

On estime que 40 % de ce coût pourrait être éliminé grâce à une meilleure coordination. Dans cette chaîne d'approvisionnement entre le fabricant et le détaillant, 40 % des aliments s'arrêtent au moins deux fois ; 30 à 40 % des aliments sont déchargés, rechargés et stockés plus de dix fois.

Face aux coûts liés au gaspillage généré par cette mauvaise coordination et cette absence d'intégration, Roy Shapiro donne l'exemple d'une solution utilisée par Barilla.

Barilla : Le réassort continu des détaillants.

Roy Shapiro, professeur à la Harvard Business School, présente le sytème de réassort mis en place par Barilla.

"Barilla est l'un des plus gros producteurs mondiaux de pâtes. En Italie, les petits détaillants constituent le tissu de la distribution.

Or, leurs commandes hebdomadaires à Barilla variaient énormément.

Barilla souffrait beaucoup de cette demande en dents de scie. Pour y remédier, la société a demandé à ses clients d'utiliser la méthode de réassort continu, appelée CPR.

La méthode est la suivante. Un lien électronique est établi entre le producteur et le détaillant. Grâce à ce lien, le producteur observe l'écoulement de son produit au niveau des stocks du détaillant. Les livraisons sont planifiées de telle sorte qu'il y ait une couverture des linéaires des magasins qui tienne compte de la production, des transports, et de l'évolution de l'économie.

Il ne s'agit donc pas de répondre simplement à la demande de réassort. [...] Auparavant, chaque détaillant passait ses commandes avec son propre filtre qui était refiltré ensuite par le distributeur. Finalement, le fabricant recevait une commande différente du besoin réel.

Il se retrouvait face à des variations très importantes, reflets de tous les systèmes d'économie, de finance, d'habitudes commerciales et de commande répercutés par chacun des détaillants à chacun des distributeurs et par chacun des distributeurs au fabricant.

Pour Barilla, le réassort continu est très efficace puisqu'il permet d'éliminer un système aujourd'hui inadapté, de regrouper les besoins de plusieurs clients et, ainsi, d'économiser sur les coûts de livraison.

Barilla a mis deux ans pour convaincre ses gros clients d'adopter le CPR. Mais le résultat montre une diminution sensible des variations en matière de livraison aux distributeurs.

De plus, on note un bien meilleur niveau de stockage chez le distributeur : ni trop élevé, ni trop faible. Les coûts de stockage et de livraison sont réduits et le producteur, Barilla, offre un réel soutien au détaillant."

Le service au client, un impératif logistique ?

Un client qui n'est pas servi à temps est peut-être un client perdu.

La logique qui sous-tend l'ensemble de la démarche Qualité/Temps est la prise en compte permanente par tous les salariés de l'entreprise des attentes du client, notamment sur le critère temps.

Cette logique signifie pour l'entreprise la mise en œuvre d'une démarche de progrès visant à déterminer, partout où cela est possible, les potentialités d'amélioration du service global, et non pas seulement du simple niveau de service. Cela signifie dans un second temps la mise en œuvre de solutions adaptées pour exploiter ces potentialités.

Des contraintes contradictoires.

Les entreprises sont aujourd'hui soumises à trois contraintes.

• Les fluctuations du marché entraînent de fortes variations instantanées des ventes.

• A la recherche d'avantages concurrentiels, elles sont amenées à assurer un approvisionnement sans faille de leurs clients (présence permanente des produits en grande surface, livraison en juste à temps des grossistes...).

• Afin de diminuer les coûts de production, elles sont souvent enclines à produire en grande série. Ces trois aspects sont difficilement conciliables et rendent de plus en plus difficile l'adéquation entre la production et la vente.

Des solutions logistiques multiples.

Bossard France : Notre métier, c'est 15 % de matière et 85 % de service logistique.

Christophe Hareau, directeur logistique de la société Bossard France, a accepté de répondre aux questions de Sofresid Conseil.

Sofresid Conseil : Quelle est l'activité de Bossard ?

Christophe Hareau : Bossard International a trois activités principales : les techniques d'assemblage – avec la visserie et l'assistance à l'automatisation de montage (ingénierie de solutions modulaires) – et les techniques de production des composants pneumatiques et de manutention.

Le groupe réalise 1 milliard de francs de chiffre d'affaires et compte 800 personnes.

D'origine suisse, il est implanté aux USA, à Taïwan, au Japon, en Europe. Société de distribution, elle est agréée ISO 9001.

Bossard France est quant à lui spécialisé dans les techniques d'assemblage. Notre chiffre d'affaires est de 150 millions de francs pour 140 personnes. Présents dans toute la France, nous sommes n° 1 sur notre marché depuis 1990.

Quelle est votre conception de la logistique ?

CH : Notre philosophie peut se résumer en quelques phrases : une logistique très proche du client, des délais de livraison très courts, une assurance qualité à tous les niveaux et des conseils très techniques donnés aux clients par une équipe très motivée. En fait, nous concevons notre offre client selon la règle du 15/85 % : 15 % de matière et 85 % de service pour aider le client à rationaliser ses techniques en amont et en aval. Nous essayons de l'assister en prenant en charge ses fonctions logistiques, de contrôle qualité et de sous-traitance.

Comment vos flux sont-ils organisés?

CH : Notre métier est la distribution. Nous avons ouvert plusieurs centres régionaux assurant un service de proximité et un entrepôt central à Strasbourg pour assurer les flux importants de marchandises. Les commandes sont servies soit des centres régionaux, soit de l'entrepôt central. L'analyse des stocks consolidés génère les besoins. Ceux-ci sont transmis à nos fournisseurs internationaux. Lorsque les produits arrivent aux portes de l'entrepôt, l'information est saisie. A chaque produit entrant est affecté un degré d'urgence, indiqué sur une feuille d'identification qui comporte toutes les informations pertinentes, depuis l'entrée jusqu'à la sortie. Cette feuille indique par exemple la destination du produit : soit vers une sous-traitance (conditionnement) soit vers la zone de stockage appropriée (par palette ou *picking*). L'expédition est effectuée à partir d'une *picking list* (qui regroupe toutes les commandes du client). La marchandise est alors préparée, emballée et le bon de livraison édité, ce qui valide le stock en temps réel. Pour satisfaire les commandes urgentes, nous avons fréquemment recours à la messagerie express.

En quoi cette organisation offre-t-elle un plus au client ?

CH : Grâce à notre informatisation et à l'intégration de l'information depuis la pré-réception jusqu'à la livraison, nous avons une vision très claire du traitement de chaque commande. Nous pouvons ainsi informer avec précision le client de la date de livraison de sa commande, avec une grande fiabilité. En cas de problème chez un de nos fournisseurs, nos commerciaux peuvent immédiatement informer le client du retard prévu, ce qui lui permet d'anticiper et de travailler plus efficacement.

Ce service fait partie de la règle des 85 % que j'évoquais tout à l'heure : notre offre est avant tout une prestation logistique de haute qualité, qui peut se traduire pour les clients demandeurs par le stockage de leurs marchandises dans nos entrepôts sous forme de Kanban.

> **Pour assurer une bonne adéquation entre l'offre (capacité de production, délai de mise à disposition sortie d'usine) et la demande (saisonnalité, urgence, modification, variation de volume...), plusieurs paramètres peuvent être pris en considération.**

A- Fiabiliser les prévisions de vente.

Cette fiabilisation passe par :

• La mise en place de prévisions annuelles.

• Le renforcement des liaisons entre forces commerciales et planification de la production.

• La récupération d'informations en provenance de la logistique.

B- Lisser l'activité.

Ce lissage nécessite :

• Un partenariat avec les clients.

• Un partenariat avec les grossistes, les dépositaires et concessionnaires dans le but de répartir les stocks et surplus d'activité dus à une forte demande.

• L'analyse des besoins des clients en délai de livraison et en taux de service. Les clients à exigence moindre doivent être utilisés pour lisser la charge.

C- Mettre en place le juste à temps.

Le juste à temps signifie :

• Un réduction du temps de production (simplification des flux, responsabilisation du personnel, série courte...).

• Des flux dictés par la livraison client.

• Une différenciation des produits le plus tard possible, en banalisant les stocks de produits intermédiaires.

D- Augmenter la couverture de stock.

Cette solution peut s'avérer la plus efficace lorsqu'un niveau insuffisant des stocks met en cause la qualité de service au client.

E- Organiser la gestion des flux.

Celle-ci comprend notamment :
- La création d'une fonction de "pilotage des flux".
- Le réordonnancement en temps réel.
- La mise en place d'un système de pilotage des flux (GPAO, Kanban…).

Compagnie Philips Eclairage (CPE) : Evaluer les besoins des clients permet de lisser la charge du centre du distribution.

Michel Timon est directeur de la logistique de la compagnie Philips Eclairage. Il explique l'organisation logistique de sa société.

Pouvez-vous nous décrire la compagnie Philips Eclairage ?

Michel Timon : CPE est la division française de Philips Lighting. Philips est le n° 1 mondial de l'éclairage et réalise 13 % de son chiffre d'affaires dans ce secteur. Les parts de marché de Philips Lighting dans le monde sont de 21 % pour les lampes et de 7 % pour les luminaires.

Le chiffre d'affaires se répartit de la façon suivante : 50 % en Europe, 32 % aux USA, 18 % autres. CPE comprend sept unités de production en France et un centre de distribution à Villeneuve-Saint-Georges. Les principales marques distribuées sont Philips, Mazda, Lita, Norma et Luxor. Les effectifs sont de 3 275 personnes dont 180 personnes pour Villeneuve-Saint-Georges. Le chiffre d'affaires de CPE est de 3,9 milliards de francs.

Comment fonctionnne le centre de distribution de Villeneuve-Saint-Georges ?

MT : Le centre de Villeneuve-Saint-Georges réalise les activités de stockage, de réception, d'expédition et de préparation des commandes. Les produits traités se répartissent (en volume) à 48 % pour les lampes et piles, et à 52 % pour les luminaires. Les clients livrés par Villeneuve-Saint-Georges sont à 67 % des grossistes ou installateurs et à 20 % des grandes surfaces. Tous les jours, 1 400 points sont livrés.

Les livraisons comportent en moyenne 8 lignes de commande en 32 colis pour un volume de 0,8 m³. 11 000 références différentes sont stockées et 8 000 références différentes sont traitées tous les mois. Le stockage à Villeneuve-Saint-Georges représente 33 000 m³ pour un flux journalier de 1 100 m³, soit 50 000 colis. Le centre de Villeneuve-Saint-Georges est approvisionné par les usines de production. Leur temps total de réaction (entre commande et sortie usine) est compris entre une semaine et un mois, nécessitant une couverture de stock à Villeneuve-Saint-Georges de l'ordre de 6 semaines.

Quels mécanismes mettez-vous en place pour satisfaire le client ?

MT : Tous les ans, des enquêtes de satisfaction client sont effectuées auprès de grossistes (800 points de vente) et d'installateurs.

L'enquête réalisée en 1992 a montré trois attentes :

1. La fiabilité des délais de livraison (80 % des clients la souhaitent).

2. Une disponibilité immédiate des produits ou une livraison rapide (environ 55 %).

3. La conformité de la livraison à la commande et un bon service client comme le traitement des problèmes et la qualité de l'information jointe (45 %).

La réponse aux exigences clients (taux de service de 90 à 98 % suivant les produits et la forte variation des volumes) entraîne des à-coups d'activité qui coûtent cher (heures supplémentaires) et qui sont difficiles à gérer socialement.

Afin de mieux répondre à ces besoins, le centre de Villeneuve-Saint-Georges a mis en place un système de lissage de la charge basé sur :

1. Une prévision de la charge à la semaine sur la base des prévisions de vente et du cadençage de

l'année précédente. Cette prévision permet de prédéterminer le nombre de personnes nécessaires par semaine.

2. La séparation des clients en catégories différentes.

Le taux de service est différent selon le type de client et de produit.

Catégorie Client	Catégorie Produits	Délai	Taux de Service
Professionnel	Type A	72 h	98 %
Professionnel	Type B	72 h	90 %
Professionnel	Type C	Annonce de délai	
Grande distribution		Planifié	

3. Le lissage de la charge par décalage éventuel des commandes des clients non prioritaires, c'est-à-dire non partenaires (nota : les commandes non prioritaires sont décalées vers le lendemain et deviennent alors prioritaires).

4. Le suivi de l'activité sous la forme suivante :
Barre de lissage (sur la base de prévisions).
Colis à faire.
Colis lissés (non prioritaires décalés).
Colis désordonnancés (prioritaires décalés exceptionnellement).

Avez-vous des procédures de suivi spécifique ?

MT : Un suivi de l'efficience est réalisé pour le centre. Il s'appuie sur un suivi du nombre de m^3 livrés par heure travaillée. L'unité d'œuvre privilégiée est le m^3 car il est plus représentatif des coûts (60 %) que les colis (40 %).

Un suivi de la qualité des transporteurs est également réalisé. Leur taux de fiabilité actuel est de 99,6 %. Pour le grand public, Villeneuve-Saint-Georges utilise des transporteurs spécialisés et suit le hors-planning (en dehors des fourchettes horaires). L'origine du hors-planning est évaluée.

1. Cause liée à Villeneuve-Saint-Georges.
2. Cause liée au client (commande arrivée trop tard).
3. Cause liée au transporteur.

Les transporteurs sont suivis annuellement et un palmarès des transporteurs est effectué chaque année. Le budget transport est de 40 millions de francs/an.

Villeneuve-Saint-Georges utilise au maximum des transporteurs régionaux, soit 25 plaques de dégroupage alimentées tous les jours en palettes à éclater sur plusieurs clients. A partir d'un volume de transport suffisant (ratio km/volume), les clients sont livrés par traction directe.

Quelles sont les conséquences de cette organisation logistique ?

MT : Les conséquences de notre organisation ont été multiples :

• Diminution du coût de la distribution.

• Amélioration du taux de service des clients partenaires.

• Réduction de la non-qualité en préparation de commande, par suppression des problèmes de motivation du personnel dus à une trop forte fluctuation de la charge.

La prise en compte du rapport Qualité/Temps met clairement en évidence une dimension nouvelle et essentielle de la logistique : une dimension stratégique et organisationnelle.

L'entreprise qui souhaite engager une démarche Qualité/Temps doit ainsi ouvrir un vaste chantier qui intègre une nouvelle conception du temps, celui du client ; une nouvelle attitude, la recherche permanente de la satisfaction de l'exigence temps du client ; et la mise en œuvre des moyens permettant d'atteindre ces deux objectifs.

Le plus souvent, sous-traiter transport et logistique à un spécialiste capable d'effectuer les bonnes analyses et d'apporter les solutions les plus efficientes s'avère être le meilleur choix.

La démarche fondée sur le rapport Qualité/Temps suppose alors le développement d'un partenariat entre l'entreprise et son prestataire où tous deux tendent vers un but commun : offrir la meilleure qualité de produit et de service, et chercher à satisfaire en permanence l'exigence temps du client.

Trop longtemps considérée comme un simple outil au service de la productivité, la logistique fait ainsi désormais partie du service rendu au client et participe à sa satisfaction. Elle constitue un levier de performance majeur et un atout concurrentiel supplémentaire.

Cette dimension du rapport Qualité/Temps devrait faire réfléchir plus d'une entreprise française : la qualité logistique peut être une solution pour répondre à la concurrence par les coûts que mènent les pays en voie de développement. Si nous sommes parfois handicapés dans la guerre tarifaire, nous sommes mieux armés pour gagner la bataille sur le front du rapport Qualité/Temps.

Réinventer l'offre :
le temps, nouvelle dimension marketing ?

Les analyses précédentes conduisent à une conclusion majeure : pour entamer une démarche Qualité/ Temps, il convient avant tout d'avoir une véritable obsession du client, et donc chercher à satisfaire son exigence temps. Pour cela, il faut notamment être prêt à modifier son organisation logistique et choisir les modes de transport les plus adaptés.

Il est également possible d'agir davantage en amont, en modifiant l'offre elle-même et en prenant en compte la dimension du temps dans les variables du "marketing mix".

Cette dimension temporelle concerne, on l'a vu, l'ensemble de la relation fournisseur-client avant, pendant et après l'acte d'achat.

Peut-on, dès lors, imaginer introduire concrètement cette dimension dans l'offre ?

La définition du produit, du prix, de la distribution et de la communication peut-elle intégrer la dimension temporelle ? Existe-t-il des entreprises qui ont déjà intégré cette dimension ? Cette dernière a-t-elle des conséquences sur l'organisation de l'entreprise ?

Marketing et temps du client

*Le temps
n'est pas
une abstraction
en gestion :
celui qui le dominera
le mieux
– fournisseur, client,
intermédiaire –
prendra un avantage
sur ses marchés.*

Laurent Maruani
Professeur de marketing
Groupe HEC
Directeur de l'Institut
des stratégies industrielles

L'économie aborde le XXIᵉ siècle handicapée par deux propositions devenues fausses : les ressources sont rares et le temps est abondant.

Les ressources, de nos jours, ne sont plus rares. Certes, la famine frappe encore certaines régions et la pénurie persiste dans une grande partie du monde. Mais les pays occidentaux, et plus globalement les pays riches, ne sont plus confrontés à des problèmes qui mettent en jeu la survie même de leur population. D'autres inquiétudes, d'autres besoins non satisfaits sont apparus.

C'est ainsi que l'homme s'est donné du temps, ou plus précisément a modifié l'architecture de son temps. Ayant, en peu de générations, réduit son coût de survie, ayant limité les transactions ordinaires et nécessaires pour accéder à cette permanence, il s'est dégagé du temps libre. Qu'en fait-il et surtout qu'en fera-t-il ? Pourquoi, dès lors, a-t-on l'impression que le temps libre n'est pas plus abondant encore ?

Le Temps, dimension économique négligée ?

Depuis longtemps, avant même le XVIIIe siècle annonciateur de la société industrielle du XIXe, chaque acquisition prenait une telle durée que le temps résiduel était fort réduit après chaque acte économique, ce qui en limitait le nombre : toute transaction étant longue, elle limitait par son existence le nombre des autres opérations possibles.

Le temps occulté.

Cet anéantissement du temps résiduel par les activités économiques ordinaires permettait à l'économiste de ramener la lutte pour la survie ou la satisfaction économique à la seule dimension de la rencontre de l'offre et de la demande, sans véritablement l'inscrire dans le temps.

Depuis Adam Smith jusqu'aux économètres contemporains, l'atteinte de cet équilibre entre l'offre et la demande a été postulée instantanée sur l'ensemble des marchés. Le temps a donc été réduit à l'instant économique, à l'instant de l'échange.

Le long terme, addition de courts termes ?

Plus encore, le long terme, considéré comme une suite enveloppante de courts termes, qui n'ont qu'une existence virtuelle, instantanée, ne trouve pas de véritable repère temporel pour se définir. Le temps, d'ailleurs, ne définit pas le long terme. Il n'existe qu'en regard du niveau d'investissement et du changement de structure de l'entreprise. Ainsi, le long terme est la période au terme de laquelle l'entreprise change significativement sa structure de production.

Ce peut être trois mois comme trois ans, ou plus encore. Le temps est une transition de phase, spécifique de l'activité. Pour la chirurgie, c'est le temps de la cicatrisation, pour un étudiant, celui de l'annonce des résultats. Pour l'entreprise, le véritable chronomètre est un volume d'affaires – parfois un seuil de rentabilité et la structure de production qu'il induit.

L'apparition du temps libre.

Généré par des gains de productivité, un temps supplémentaire s'offre dans la vie professionnelle et, par voie de conséquence, dans la vie privée.

L'apparition de ce temps disponible induit des phénomènes en apparence contradictoires : le chômage, forme extrême de temps libre, mais aussi une relance des opportunités économiques en permettant aux entreprises d'utiliser ce temps nouveau pour renforcer encore la course aux gains d'efficacité.

Le temps prend dès lors un double statut de facteur de production et de rareté dont il ne disposait pas jusqu'à présent.

Le temps est devenu une ressource en soi, rare et gérable, dans laquelle on puise. Le temps est manufacturé et devient repères économiques et même sociaux. Il est aujourd'hui le luxe des plus puissants, capables de prendre du temps à autrui et ce à l'avantage de leur propre temps : les dirigeants économiques et politiques disposant d'un personnel désireux de se voir déléguer une partie de leurs pouvoirs. Souffrance des plus humbles qui doivent observer le temps de l'inaction, c'est-à-dire de l'évacuation physique (maladie, incapacité) ou économique (chômage) du monde social, qui tend à les marginaliser.

Le temps devient ressource. La ressource devient produit mais surtout, et de plus en plus, service.

Devenu facteur de production et non plus seulement lieu de son écoulement, le temps connaît son butoir : le délai. Le délai devient l'expression humaine de la fin du décompte de temps, la fin de la tolérance.

Le temps, nouvelle dimension du management.

La gestion du temps fait désormais partie du management même si de nombreuses entreprises n'y sont pas préparées.

> **Certaines entreprises ne résisteront pas et disparaîtront faute d'avoir sérieusement considéré la gestion du temps autrement que selon une approche étroitement productiviste, nécessaire mais non suffisante.**

La ressource rare, qui dicte l'équilibre sur le marché principal, se modifie elle-même au cours de l'histoire. Ce fut la terre lorsque l'économie était avant tout rurale. Puis vint la ressource industrielle, et en premier lieu l'énergie quand le XIXe siècle vit l'essor de l'industrie.

Le XXe siècle voit l'affirmation de la force de la ressource financière et de l'information. Aujourd'hui, le temps, le délai, la vitesse deviennent un facteur primordial de production de flux (flux de marchandises, flux d'informations, d'idées, de voyages...). Plus l'économie des flux se renforce, et plus le temps en devient le facteur de productivité principal. Alors que l'accès aux autres ressources se banalise, la mondialisation aidant, l'accès au temps libre nous laisse désarmés.

Marketing et temps du client : le produit et le service

Le rapport Qualité/Temps appliqué au marché bancaire.

Avec ce slogan, la Société Générale bouleverse le marché bancaire en France : prêt Expresso, la Société Générale vous dit oui ou non, mais elle vous le dit tout de suite.

La concurrence entre banques porte aussi sur la rapidité de réponse à une demande. La banque intègre dans son offre produit la nouvelle exigence de rapidité du client – et son refus des temps d'attente. Pour cela, elle multiplie les innovations. Autre innovation : la banque sans guichet. Plus de déplacement, donc plus de perte de temps pour le client.

Au Royaume-Uni, la Midland Bank avait déjà prouvé la pertinence du concept en lançant First Direct en 1989, qui compte maintenant 400 000 clients. En France, plusieurs établissements se sont lancés pratiquement en même temps sur le même créneau. C'est le cas de la Caisse d'Epargne Ecureuil Ile-de-France qui a créé Filécureuil, ou d'Abbey National, un des plus gros organismes britanniques de financement immobilier, qui a lancé Directissimo, un numéro vert de service de crédit immobilier ou encore, la Banque Directe, filiale de Paribas. Cette innovation s'inscrit d'ailleurs dans la ligne des services bancaires à distance développés par l'ensemble des réseaux bancaires, à commencer par Cortal ou le CCF, véritable pionnier en matière d'utilisation du Minitel par sa clientèle.

Le Temps,
concept évolutif ?

Si le temps existe en économie, c'est que cette dernière est rythmée par deux parties : soit le fournisseur et l'acheteur, dans la plupart des situations, soit deux partenaires dans le cas d'un accord, soit, dans les relations internes à l'entreprise.

Une tension naît souvent de ce décalage entre les conceptions respectives du temps des parties prenantes. Lorsqu'il s'agit d'une activité de flux, il peut y avoir une accentuation de ce décalage par l'existence d'un point de départ et d'un point d'arrivée, avec deux interlocuteurs fort différents puisque l'un est à la source du flux et l'autre à sa destination. L'accord, au-delà des coûts et de la qualité de la prestation, porte sur les temps des deux parties, et il conditionne tous les autres accords.

> **Il faudra donc que les fournisseurs admettent que le temps qui importe n'est même pas celui de leur client mais celui du client de leur client : le temps du destinataire final.**

De très nombreux exemples permettent d'illustrer ce propos. Le plus évident est celui du colis.

Le colis entre le temps
et la propriété.

Lorsqu'une entreprise expédie un objet – lettre, colis... – elle en garde la propriété jusqu'à la remise au destinataire. Mais, de fait, elle se dessaisit de cet objet, de cette valeur, durant le temps de l'acheminement. Ce temps est donc très anxiogène car l'expéditeur confie à une tierce personne toute la valeur qu'il a accumulée par son activité. L'expéditeur sera naturellement amené à vouloir réduire le temps de cette indétermination même si le destinataire n'exige pas une livraison immédiate. Ce qui est en jeu ici, c'est le transfert au plus vite de la propriété pour que sa contrepartie financière intervienne – reconnaissance d'une créance, paiement, encaissement. Il est lié au moment de l'usage et, dans certains cas, de la jouissance de la propriété de l'objet.

Marketing et temps du client : le produit et le service

GRAND OPTICAL PHOTO SERVICE :
la réduction du délai imposé au client,
facteur clé de succès

La prise en compte du temps du client en matière d'offre produit peut apporter un avantage concurrentiel décisif sur un marché donné. Le groupe GPS (Grand Optical Photo Service) en est un exemple : il connaît une progression considérable sur les marchés de la photo et de l'optique.

Photo Service : les photos en moins d'une heure.

En 1981, la création de Photo Service repose sur une technologie de pointe, la miniaturisation des machines servant à développer les photos. La société installe ses mini-labs sur l'espace même de la vente, notamment dans les centres commerciaux, où les clients repartent avec leurs photos après avoir effectué leurs achats.

C'est un moyen efficace pour réduire considérablement les délais. Les consommateurs semblent satisfaits si l'on observe l'implantation de Photo Service : 116 magasins en décembre 1994. Les perspectives sont souriantes : la pénétration du développement rapide sur le marché des travaux photos (globalement 12 milliards de francs TTC.) est estimée à 50 % pour l'an 2000, contre 35 % aujourd'hui (dont 10 % pour Photo Service).

Devant un tel succès, les fondateurs de Photo Service, Michael Liklerman et Daniel Abittan, n'ont pas hésité à appliquer le même principe en créant Grand Optical.

Grand Optical : même stratégie temps, même réussite.

Grand Optical a introduit la dimension temps sur le marché de l'optique. Sa stratégie a été de regrouper dans un même magasin l'opticien et le laboratoire de fabrication, réduisant ainsi les délais. Grand Optical peut répondre à 93 % des demandes en une heure (les 7 % étant des cas particuliers).

Résultat : 5 magasins en 1989, 43 magasins fin 1994.

Chiffre d'affaires : 60 millions de francs en 1989, 240 millions de francs en 1991, 553 millions de francs en 1994.

Parts de marché : 3,5 %. Objectifs à court terme : 5 %.

Le temps et les flux d'information.

Aujourd'hui, un deuxième exemple, très largement lié au précédent, concerne les échanges considérables d'information.

Au siècle dernier, la contrainte principale du transport d'information était le mode de transport de l'information lui-même. Le temps du courrier s'imposait et il a fallu l'aviation et le chemin de fer pour que cette situation s'améliorât sensiblement.

Ce fut ensuite le temps réel. Le téléphone fut l'ancêtre de cette instantanéité de l'échange en réintroduisant, malgré la distance, la communication orale.

Une des grandes évolutions des années 1970 a été celle de l'information circulant à la vitesse de la lumière, c'est-à-dire en un temps indépendant de la distance. Les capacités informatiques et des télécommunications aidant, ce mouvement se poursuit encore, du courrier électronique à la visio-conférence. Après avoir été nié, le temps prend sa revanche en abolissant certaines distances.

> **Un vecteur de transmission d'information tel que le fax, n'a pas d'horaires, contrairement à la malleposte. Les plus jeunes ont cette vision du monde comme référence, et les entreprises à l'approche du XXIe siècle, devraient très sérieusement en tenir compte dans leur vision et leur organisation.**

Le temps décalé.

Nous en sommes aujourd'hui peut-être déjà à un autre stade de l'échange d'information, celui du temps décalé, différé et choisi.

Le meilleur exemple en est la télécopie. Elle permet l'envoi d'un message au moment choisi par l'expéditeur et reçu au moment choisi par le destinataire. Ce décalage est un avantage car nul n'est forcé par le temps.

C'est ainsi que des documents peuvent être émis dans la nuit pour être trouvés au matin sans nécessité de coordination temporelle et de rendez vous. L'indépendance de l'expéditeur et celle du réceptionnaire sont quasi totales.

Le "biper" est un autre exemple électronique de ce temps décalé, qui permet l'acheminement de messages par le réseau hertzien.

> **Le temps des messages est représentatif des générations. Les plus jeunes connaissent bien ce décalage et le gèrent souvent avec plus d'aisance que les plus âgés. Les nouveaux pouvoirs s'établissent aujourd'hui sur cette base.**

Marketing et temps du client : la communication

MONOPRIX, LE CITYMARCHÉ :
une offre adaptée au budget temps du consommateur

Amaury de Lacretelle, directeur de la communication du groupe Monoprix, explique sa stratégie de communication, en partie fondée sur une nouvelle offre Qualité/Temps.

"Pour notre campagne publicitaire de la fin 1994, deux de nos annonces avaient les accroches suivantes : L'idée, c'est la liberté de faire vos courses en semaine, et ce que vous voulez de votre samedi et L'idée, c'est que les courses sont moins une course quand on peut les faire jusqu'à 21 h.

Notre message centré sur la qualité de la vie et le temps n'est pas né du hasard. Il est le fruit de notre observation attentive de la demande du consommateur dans nos 200 magasins – et de notre volonté de la satisfaire réellement.

Nous constatons en effet que depuis quelques années le rapport du consommateur avec le temps a largement évolué. Il recherche un meilleur équilibre entre vie privée et vie professionnelle, et souhaite disposer d'un vrai week-end, qui ne soit pas consacré à faire les courses en banlieue.

Là est le concept du Citymarché : un magasin de centre ville au service de la clientèle urbaine. Nous avons ainsi élargi nos horaires d'ouverture. Nous avons également effectué une sélection rigoureuse des produits pour ne pas faire perdre de temps au consommateur devant un rayon à l'offre surabondante conduisant à un choix long et difficile.

Nous avons enfin centré une partie de notre communication sur cette offre Qualité/Temps."

Observons, entre autres exemples, le fonctionnement des opérateurs et agences de voyages. Ils doivent gérer dans l'instant de nombreux temps décalés les uns par rapport aux autres et qui ne se rejoignent qu'à l'ultime moment de la consommation effective du voyage et du séjour. D'une part, existe le temps de l'offreur, les compagnies aériennes devant prévoir leur flotte – équipements, personnels – les hôtels et les infrastructures, et enfin les prestations annexes telles qu'excursions, spectacles, etc. D'autre part, existe le temps du client qui s'exerce dans la zone temporelle opposée, à savoir qu'il s'intéresse à l'achat d'un voyage en fonction de sa date désirée de départ et de l'offre qui existe pour cette date au moment de la commande.

Les systèmes télématiques de réservation centrale, et, avant eux, l'offre en prestations regroupées ont permis cette maîtrise du temps décalé.

Ces changements, qui s'opèrent devant nos yeux, sont évidents. Pourtant ils constituent encore une nouveauté qui s'étendra à des domaines que nous soupçonnons à peine : gestion de la santé, de l'éducation, des loisirs, mais aussi organisation de l'entreprise.

Le Temps du client, nouvel enjeu stratégique ?

Le temps du client.

Le temps du client est devenu le temps de référence. Il participe de la valeur que celui-ci attribue à la prestation fournie.

La valeur et non pas seulement la qualité, car cette dernière est désormais une contrainte quasi absolue et non pas un objectif modulable.

> **Les clients n'acceptent plus une qualité dégradée, sauf si celle-ci est clairement annoncée et figure dans la promesse de l'offreur.**
>
> **Une qualité promise et non tenue est bien plus désastreuse qu'une qualité annoncée moins bonne mais respectée et même dépassée.**
>
> **Le temps, en revanche, est devenu un paramètre de décision qui suppose et le plus souvent force à un arbitrage.**

Un exemple connu de tous illustre ce propos : une lettre acheminée par La Poste en tarif urgent doit arriver rapidement et en bon état. Une lettre expédiée en tarif économique peut arriver bien plus tard mais en tout aussi bon état. La qualité de la conservation du pli doit être identique dans les deux offres et la différence de prix ne s'applique qu'au seul délai d'acheminement.

On ne saurait imaginer une équipe de tri postal soigneuse pour le tarif urgent et désinvolte pour le tarif économique.

Front office, back office.

La prise en compte du temps implique une approche managériale qui s'exerce en deux lieux de l'entreprise : *le front office* et *le back office*, la scène et la coulisse.

Il existe, en effet, deux sociétés en une dans une majorité de cas. Une partie de l'entreprise sera dite "spectaculaire" : elle se montre, s'offre à la clientèle, annonce les promesses. L'autre partie est cachée avec le client : elle est "industrieuse" et effectue toutes les tâches qui n'impliquent pas de relation directe au client. Le lieu où se tient la clientèle – ce lieu n'étant pas à prendre dans un sens strictement physique mais pouvant être aussi une réception téléphonique par exemple – est, par définition, le *front office*. Tout le reste relève du *back office*.

Beaucoup d'entreprises maîtrisent fort mal cette dichotomie.

Deux raisons principales sont apparues lors d'une enquête menée sur cette question en France.

En premier lieu, une culture dominante d'ingénieurs place la partie noble du métier dans la production, dans le *back office*. Cette culture est plus forte que les discours officiels de ces mêmes entreprises qui affirment, en effet, presque toujours, la prédominance du client et la priorité commerciale.

Mais de fait, la réalité du pouvoir reste à la technique qui non seulement dicte les investissements et rédige l'agenda des réunions de direction, mais, de plus, impose son temps. Elle trouve souvent dans l'informatique de gestion un allié – parfois sacrifié comme bouc émissaire lorsque l'abus (l'"orgie informatique") est constaté – pour gérer les délais non pas selon l'intérêt du client mais selon une protection de type corporatiste des prérogatives des ingénieurs et des techniciens dans cet enjeu que représente le choix des temps. Bien évidemment, dans le cas d'une société bien gérée, l'intérêt et le temps du client ont trouvé leurs correspondances dans ceux de l'entreprise qui offre des prestations.

> **La seconde raison de cette carence affectant les entreprises de culture orientée client est la désinvolture, le manque de vision du management.**

Vient alors·la question portant sur les règles générales de gestion du temps. Existent-elles ?

Marketing et temps du client : le produit et le service

SPEEDY :
la réparation automobile à grande vitesse

Le secteur des services est particulièrement propice à l'innovation en termes de marketing temps. La réparation automobile illustre la nécessaire adéquation entre le *front office* et le *back office*. Une réflexion menée sur les attentes du consommateur en fonction de l'évolution du marché nord-américain est à l'origine de la création de Speedy. Le premier centre de pose rapide d'échappement Speedy Muffler King a ainsi ouvert en 1956 à Toronto au Canada. En 1978, le groupe franchit l'Atlantique et ouvre sa première antenne dans la région parisienne. Depuis, il existe 250 centres en France. Ils sont devenus des centres de réparation rapide où, non seulement les pots d'échappement peuvent être réparés en une demi-heure, le véhicule vidangé en moins de quinze minutes, mais aussi les freins, les amortisseurs ou les pneus changés dans les plus brefs délais. Ces performances ne sont possibles qu'à condition de bien gérer un planning de travail pour faire face aux variations de flux de clientèle. 6 % de la masse salariale de Speedy est investie chaque année dans la formation permanente, considérée comme l'un des points clés de la stratégie du groupe. Speedy, qui a racheté la chaîne Plein Pot en 1991, a multiplié par deux ses effectifs en trois ans (1 200 aujourd'hui) et plus que doublé son chiffre d'affaires entre 1990 et 1993 (688 millions de francs pour le dernier exercice). *In fine*, le groupe représente aujourd'hui 15,6 % des parts de marché de l'ensemble de la prestation échappement.

La gestion du Temps, facteur clé du succès ?

En matière d'économie et de gestion des activités de flux, trois règles doivent constamment être observées par les entreprises. Ces règles concourent à la vision du marché, à la maîtrise de sa clientèle et à la valorisation de son offre.

Les trois sont fortement dépendantes de la capacité à gérer le temps avec efficacité et intelligence.

Une vision prospective de son activité.

L'approche comptable du résultat de l'activité d'une entreprise est *ex post*. Elle constate, à la fin d'une période d'activité, ce qu'est ce résultat. Même les actionnaires, et plus généralement les acteurs du jeu boursier, se satisfont mal de ce décalage temporel. Ils veulent savoir instantanément l'état de santé et les perspectives proches des entreprises auxquelles ils s'intéressent.

Anticiper le résultat relève donc d'un exercice s'appuyant non seulement sur les comptes mais aussi sur une vision, dans le temps, des évolutions des marchés et des atouts de l'entreprise en cause.

Dès lors, une véritable gestion des résultats, dans le temps, est possible.

Mais, plus encore, c'est la gestion dans le temps des actes quotidiens qu'il faut mettre en place.

A cet égard, les méthodes d'optimisation des coûts, des diagrammes PERT au reengineering, en passant par les budgets base zéro – combinaisons d'analyses rigoureuses et d'effets de modes – se développent toujours selon deux axes :

a. L'utilité réelle de chacun des actes de l'entreprise doit être vérifiée.

b. L'inscription dans le temps de ces actes doit être précisée.

Marketing et temps du client : le prix

LE MATIF :
un élément du marketing prix
des emprunts d'Etat

Le Matif est le Marché à terme international de France.

Dans les années 80, face à l'instabilité chronique des taux d'intérêt, l'Etat a souhaité offrir aux investisseurs, notamment internationaux, un instrument dit de couverture.

L'objectif est de leur permettre de se protéger contre une dépréciation des emprunts d'Etat (valeurs du Trésor) liée à une variation des taux. Il s'agit alors d'offrir aux investisseurs la possibilité de fixer un prix – pour une durée déterminée – pour les obligations auxquelles ils souscrivent.

Huit ans après sa création, le Matif offre aux opérateurs économiques, trésoriers d'entreprises, gestionnaires de fonds, gestionnaires de portefeuilles et professionnels des marchés, une large gamme de contrats à terme portant non seulement sur les produits monétaires et obligataires, mais encore sur les actions françaises, sur le franc ou certaines devises et enfin sur les marchandises.

La clairvoyance de l'Etat, qui, en créant le Matif, offrait une meilleure gestion du rapport prix/temps des emprunts d'Etat, a permis de faire du Matif le premier marché à terme d'Europe continentale, et le quatrième au monde.

Souvent, c'est la vision à long terme qui manque le plus lors de la mise en place de ces méthodes. Une illustration fréquente en est la difficulté de la mise en place d'une stratégie de prix, échelonnée dans le temps et développée. Revirements, peurs des conséquences concrètes, révélation, d'enjeux politiques internes marquent fréquemment cette phase pourtant vitale pour l'entreprise aujourd'hui. La solution de fuite est presque toujours la même : l'ajustement sur la concurrence, mais encore faut-il qu'elle soit bien appréhendée et bien comparable.

Le temps du marketing devra aussi être celui du markcting du temps.

Une nécessaire maîtrise de l'information.

Un temps non informé, fût-ce implicitement, n'est pas un temps économique. Conscients de l'importance de cette affirmation, les décideurs savent qu'il existe une sorte de loi de relativité liant le temps et l'information. La qualité et la valeur d'une information dépendent du moment où elle est reçue. Trop tôt, elle est inutilisable, parfois pour des raisons légales – délit d'initié par exemple , trop tard, elle est sans valeur active. En quelques instants, de la micro-seconde informatique aux quelques mois de la recherche, l'information prend sa valeur.

> **Maîtriser la relation avec son client passe en premier lieu par l'Identification des moments où il demande ou attend une information de son fournisseur et en second lieu par la capacité de celui-ci à intervenir.**

Dans le transport de colis, le cas est net lorsque se présente une difficulté d'acheminement. En effet, si tout se passe normalement lors des actes de transport et de logistique, le client exigera rarement, et en général pas longtemps compte tenu de la masse de documents que cela suppose et du temps qu'il faut pour en prendre connaissance, une information explicite. Il lui suffira, en fin de transaction, de s'assurer de la satisfaction de son propre client.

En cas d'anomalie, le client ne doit en aucun cas la découvrir fortuitement. Il appartient au transporteur, ou logisticien, de considérer que sa prestation doit intégrer l'anomalie comme une possibilité normale.

Qui va gérer l'information relative à cette exception ? Bien évidemment le *front office*, qui doit garder la quasi-exclusivité du rapport avec la clientèle afin d'en assurer la continuité. Pourtant, cette information sur l'anomalie doit nécessairement transiter par la production, le *back office*, afin de déclencher des mécanismes correcteurs.

> **Cet exemple illustre la nécessité d'une organisation tournée vers le client, efficace et réactive. Elle doit être guidée par la préoccupation de la concurrence et non de l'interne et, au final, plus dirigée par de véritables leaders que par certains gestionnaires sans force d'entraînement sur le personnel mais dont le rôle reste néanmoins primordial en seconde ligne.**

Reste enfin un troisième principe qui est nécessaire à l'exercice d'une activité économique : la circulation.

Une circulation des marchandises accélérée.

L'accumulation, dans l'entreprise, n'a de sens que si elle sert la production. Accumulation financière (capitalisation du passif) et accumulation d'infrastructures de production (capitalisation d'actifs) sont elles-mêmes remises en cause lorsqu'elles sont trop importantes et déséquilibrées l'une envers l'autre.

Le but de l'activité de l'entreprise est le flux, généré par la ciculation – la vente – des produits et services, qui crée la richesse distribuée aux actionnaires, aux employés et au fisc.

La vitesse de circulation, qui s'inscrit dans le temps, participe de cette sorte de quantité de mouvements économiques, connue macro-économiquement comme étant celle de l'équation de Fisher : le volume des transactions égale la masse monétaire multipliée par sa vitesse de circulation et divisée par le prix.

Si une entreprise n'arrive pas, ou n'arrive plus, à inscrire efficacement son action de circulation de ses prestations dans le temps, elle risque, par la logique de l'actionnaire, d'être mise en péril (1).

L'action des commerciaux, lorsqu'elle se heurte à la capacité de réaction de la production, du *back office*, est entravée dans l'espace temps. Ils s'y adaptent toujours, par exemple en se fixant des objectifs bas et assez faciles à réaliser, même si le prix de ce confort est une palabreuse négociation de deux jours à la campagne.

Plus généralement, le commercial cherchera à s'adapter au temps de la production, et quoi de plus normal si la culture de l'entreprise l'y contraint.

C'est pourtant un mouvement inverse que les entreprises devraient obtenir, c'est à dire que le temps du *back office*, dans des limites déterminées par des critères économiques, s'adapte à celui du *front office*.

---

(1) *En effet, si l'on pose que le taux de rentabilité R du bilan est R=E/B, E étant le résultat d'exploitation, ou une forme proche, et B une donnée des lignes hautes du bilan, alors R est une rentabilité économique si B est dans l'actif, et une rentabilité financière si B est dans le passif. Or, on ne peut faire croître R qu'en augmentant E, ou en diminuant B, ou, plus généralement, en déséquilibrant à l'avantage de E le rapport entre les deux grandeurs E et B. Augmenter E peut provenir d'une action sur les coûts, dont les limites sont connues, ou encore d'un renforcement du volume d'affaires. Ce dernier peut se concevoir comme le produit comptable d'une quantité vendue et de son prix mais aussi, et c'est plus nouveau, comme le produit de valeurs "évacuées" (vendues) et de la fréquence de cet acte dans l'entreprise.*

> **La circulation des marchandises et des services – acte de transfert de propriété de la chose – doit pour avoir le maximum de valeur pour l'offreur, se gérer au maximum de valeur pour l'acquéreur, donc s'inscrire dans le temps de ce dernier et non du premier.**

Cette approche, enfin, peut être encore plus précise lorsqu'elle touche au marketing.

Marketing et temps du client : le service

Lorsque l'assurance se met à l'heure du Qualité/Temps.

Les assureurs directs veulent améliorer le service au client et notamment augmenter la rapidité des indemnisations. Direct Assurances affirme résoudre immédiatement 90 % des sinistres (accidents corporels exceptés), au moment de la déclaration de l'accident par téléphone, grâce à l'aide d'un système informatique adapté. Eurofil s'engage sur le passage d'un expert dans les 72 heures pour évaluer les dégâts et sur le règlement de l'indemnité dans les 10 jours lorsque le dossier est complet. Réflex, enfin, permet à ses clients de résilier leur police à tout moment.

Le délai, outil marketing ?

Nous avons défini dans un livre ("Le Marketing tout simplement") le marketing comme étant l'ensemble des processus qui permettent de donner la priorité à l'aval sur l'amont, dans les opérations économiques d'une organisation.

> **Toute entreprise peut développer un esprit marketing à chaque étape de la chaîne de valeurs et non pas uniquement à l'étape finale de mise sur le marché comme cela est trop souvent le cas. L'approche marketing devrait marquer tous les supports et toutes les étapes au sein de la chaîne de valeurs.**

> **Il existe donc deux approches du délai, l'une portant sur les contraintes qui s'imposent à l'entreprise, l'autre sur les flexibilités qu'elle peut se donner.**

Si elles s'énoncent assez simplement, leur mise en œuvre reste néanmoins délicate car elle se heurtera presque toujours aux inerties culturelles et à celles du fonctionnement habituel de l'organisation.

> **Les contraintes qui s'appliquent aux délais sont de deux ordres : la qualité et le respect du contrat.**

La qualité est, en quelque sorte, un contrat général, d'où son statut fréquent de charte. Pour cette raison, l'entreprise qui offre doit se sentir parfaitement capable d'honorer les délais qu'elle annonce et doit réagir sainement à toute anomalie.

De même, lors de contrats plus spécifiques – contrats de collaboration avec le client par exemple – elle se doit de tenir les promesses qu'elle est parfois tentée de faire pour enlever un marché. Il n'est pas facile d'ailleurs de ne pas faire ces promesses lorsque la pression concurrentielle s'exerce avec force.

Néanmoins, il est vérifié qu'une promesse non respectée, fût-elle mineure, a un impact très négatif et peut compromettre le renouvellement du contrat.

Les flexibilités constituent la marge de manœuvre que l'entreprise se donne pour bien servir son client et rester bénéficiaire. Puisqu'elles se réduisent sous la pression de la concurrence, il importe encore plus de les gérer.

> **A cet effet, il faut soigneusement estimer tous les délais impliqués par une opération et la capacité des différents acteurs à les accepter :**
>
> • **Délais nécessaires pour satisfaire le client.**
>
> • **Délais possibles pour le *back office* du vendeur.**
>
> • **Délais d'ajustement et prise en compte des risques.**

Marketing et temps du client : la distribution

PIZZA HUT FRANCE :
le temps affiché,
variable clé de la distribution

Roland de Farcy, fondateur de Spizza 30 et directeur général de Pizza Hut France, démontre que le respect d'une promesse temps innovante en termes de distribution peut conduire à un succès majeur.

"Pizza Hut est le numéro 1 de la pizza en France et dans le monde. Le concept de distribution est simple : livrer une pizza à domicile en moins de trente minutes.

Le chiffre d'affaires de Spizza 30 (devenu Pizza Hut) est passé de 0,6 million de francs en 1988 à 96 millions de francs en 1991 et 325 millions de francs en 1993 (compte tenu de l'alliance avec Pizza Hut).

Le succès de cette société peut être ramené à deux principes fondamentaux :

• Un service rapide : notre client valorise son temps. Il est prêt à payer pour la rapidité de la livraison. C'est donc le service, et uniquement le service, qui sert de déclencheur à l'achat.

• Une stratégie de croissance soutenue : dès le départ, j'ai accepté d'être minoritaire au sein de mon groupe afin de réunir les capitaux nécessaires à un développement qui a pris de vitesse ses concurrents. En 1993, Spizza 30 s'allie avec Pizza Hut au moment où Domino's (le numéro 1 de la livraison de pizzas à domicile aux USA) s'attaque au marché français.

Les autres raisons de notre succès sont la simplicité et la standardisation des produits ; la motivation du personnel pour tenir les délais (voyages et cadeaux pour les meilleurs points de livraison).

Ce respect du délai nécessite une organisation où chaque étape est minutée.

Chaque magasin représente un investissement en matériel d'au moins un million de francs pour permettre une production de la pizza en dix minutes maximum, cuisson comprise.

La prise de commande également doit se faire dans un minimum de temps.

Le nom, l'adresse et le code de tout client sont rentrés dans des ordinateurs pour gagner du temps lors des commandes ultérieures.

La gestion du planning des livreurs est adaptée en permanence, parfois toutes les cinq minutes.

Aujourd'hui, Pizza Hut sert plus de 12 000 pizzas par jour dans l'une de ses 70 unités de livraison ou dans l'un de ses 18 restaurants.

Et chaque mois, le groupe ouvre un nouveau magasin en France."

"A chacun son délai" devient aujourd'hui une approche de management.

L'entreprise qui maîtrisera les délais de tous les acteurs aura non seulement une position de force mais sera reconnue dans ce rôle. Le temps n'est pas une abstraction en gestion. Véritable facteur de production et de productivité, celui qui le dominera le mieux – fournisseur, client, intermédiaire... – prendra un avantage sur ses marchés.

Si nous vivons une époque où l'approche client domine désormais, si nous en sommes au temps du client après celui des fournisseurs, il nous faut aussi considérer l'expression "le temps du client" dans son sens le plus immédiat : celui du délai qui rythme les flux, décide des entrées et des sorties du terrain de jeu économique que sont les marchés, dans leur diversité, leur pluralité et leur souci commun du temps.

Le rapport
Qualité / Temps
appliqué à la vie quotidienne

Le rapport Qualité/Temps appliqué à la vie quotidienne

*76 % des Français
sont satisfaits
de leur rapport
avec le temps.*

Ce chapitre repose sur deux études :

• Une enquête (1) réalisée auprès de 1 055 personnes représentatives de la population française, âgées de 15 ans et plus.

• Une analyse qualitative comprenant une réunion de groupe de 10 personnes (5 hommes, 5 femmes), habitant Paris et la région parisienne, de catégories socio-professionnelles représentatives, et des entretiens individuels en profondeur auprès de 12 personnes (6 hommes, 6 femmes), habitant Paris (6 personnes), Dijon (3 personnes), Tours (3 personnes), d'âge et de CSP diversifiés.

Elisabeth Delagarde
IFOP
Directeur des études
Grande Consommation

(1) Description de la structure de l'échantillon page 194.

L'éternité, c'est long.
Surtout vers la fin.

Woody Allen

Les Français sont-ils aussi stressés, frustrés, pressés qu'on le dit ? Notre société s'avance-t-elle résolument vers un avenir programmé où il n'y aurait plus de place pour la flânerie ?

A vouloir suivre le rythme trépidant du temps social, du temps du travail, l'homme s'épuise et éprouve le besoin de souffler. Et s'il redécouvrait les vertus de la quiétude, d'un rythme naturel ? Quelques indices dessinent un futur plus tranquille. Durant le temps des vacances, des Français de plus en plus nombreux s'épanouissent dans le tourisme vert, dans des gîtes ruraux, des chambres d'hôte qui conjuguent calme, nature et convivialité. Ils s'essaient à la randonnée : la marche apparaît comme la deuxième activité des Français en vacances (après les visites de monuments). Bref, ils renouent avec un certain temps de vivre.

Notre société s'organise de plus en plus autour d'un clivage : entre le monde du travail qui privilégie la vitesse et la productivité, et le monde des loisirs dont le temps est rythmé par la vie personnelle.

Chiffres clés

76 % des Français sont satisfaits de leur rapport avec le temps.

Les Français sont très majoritairement satisfaits de leur rapport avec le temps. Quel que soit leur référentiel temporel – détachement vis-à-vis des délais ou étroite dépendance à l'égard du chronomètre – 76 % d'entre eux souhaitent à leurs enfants la même relation avec le temps.

Constat étonnant : dans une société que beaucoup analysent comme sans repère, où les individus paraissent confrontés à des stress grandissants et des frustrations renouvelées, les Français semblent solidement arrimés à leur propre perception du temps.

59 % des Français prennent le temps de faire les choses, 41 % font coûte que coûte ce qu'ils ont à faire.

59 % des Français privilégient la qualité plutôt que la quantité. Le temps est pour eux une variable de référence qu'ils maîtrisent sans se laisser dominer.

Dans cette catégorie, les retraités et inactifs sont particulièrement présents, puisque 73 % d'entre eux adhèrent à cette proposition. Ne plus avoir d'activités professionnelles – perçues comme contraignantes – leur permet de disposer d'une plus grande liberté, donc de privilégier la qualité de vie et de s'affranchir du temps. D'une manière plus générale, cette catégorie de Français fait passer le "que faire" avant le "quand faire".

En revanche, pour 41 % des Français, le facteur temps est prépondérant : l'essentiel est de tenir les délais, coûte que coûte. Cela ne signifie aucunement qu'ils négligent la qualité de vie, mais implique clairement une relation de dépendance majeure. Le temps est une contrainte à laquelle ils se soumettent.

Les professions libérales, cadres supérieurs, artisans, commerçants et agriculteurs sont plus présents dans ce groupe : travaillant en moyenne plus longtemps que les individus des autres catégories socio-professionnelles (par exemple les employés ou les inactifs), ils sont plus exposés au temps-contrainte qu'au temps-liberté. Leur relation avec le temps est ainsi l'expression de la prépondérance de leur activité professionnelle sur leur temps de loisirs.

50/50 : hommes et femmes, même rapport avec le temps.

Résultat surprenant : dans la relation des Français avec le temps, il n'y a aucune différence significative entre les hommes et les femmes. Quelles que soient les questions posées, chacun des deux sexes est également représenté dans les différentes catégories de Français.

Il existe pourtant des différences très significatives dans l'emploi du temps respectif des deux sexes : l'INSEE indique qu'un homme citadin actif dispose de 3 h 41 de temps libre par jour contre 2 h 51 pour une femme dans la même situation ; l'homme consacre 2 h 41 par jour à la vie domestique contre 4 h 38 pour une femme.

Malgré ces différences objectives, hommes et femmes ont le même rapport subjectif avec le temps.

Les Français et leur rapport avec le temps

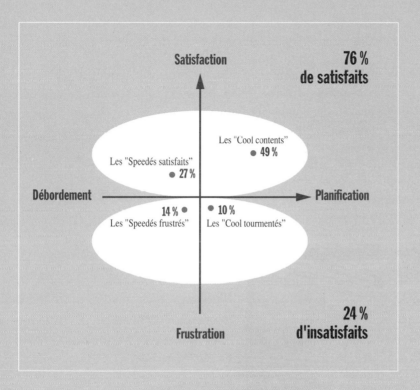

Satisfaction

**76 %
de satisfaits**

Les "Cool contents"
● 49 %

Les "Speedés satisfaits"
● 27 %

Débordement ⟶ **Planification**

14 % ●   ● 10 %
Les "Speedés frustrés"   Les "Cool tourmentés"

Frustration

**24 %
d'insatisfaits**

En mettant en parallèle les comportements des Français et leurs aspirations, l'IFOP a dressé une véritable cartographie du rapport avec le temps des Français, qui fait apparaître quatre groupes distincts.

Les "Cool contents" : 49 %.

- *Prennent le temps de faire les choses même s'ils n'arrivent pas à tout faire.*
- *Souhaitent que leurs enfants fassent comme eux.*
- *Aiment disposer de temps.*

Les Cool contents représentent la moitié des Français. Leur vie, qui privilégie la qualité sur le temps, est en harmonie avec leurs aspirations. Leur relation avec le temps est donc déchargée de tout stress et s'inscrit dans une certaine plénitude. Parmi eux, les plus de 50 ans sont plus nombreux, ainsi que les personnes seules et les habitants du Sud-Est. Principale aspiration de ce groupe : *disposer de temps.* 46 % des Cool contents trouvent en effet cette proposition plaisante, contre 23 % qui préfèrent *maîtriser le temps,* 16 % *gagner du temps* et 15 % *valoriser le temps.* Cette majorité relative exprime clairement la nature de la relation que ces Français entretiennent avec le temps : une relation dépourvue d'agressivité et de dépendance.

Alain T., 53 ans, marié, Dijon, professeur de musique. "Dans mes activités, je suis plutôt absorbé, je ne vois pas le temps passer. Je m'investis complètement dans mes diverses passions [...] Je ne regarde pas ma montre."

Les "Speedés satisfaits" : 27 %.

- *Font coûte que coûte ce qu'ils ont à faire.*
- *Souhaitent la même chose à leurs enfants.*
- *Détestent avoir perdu du temps.*

Inès M., 34 ans, mariée, Paris, mère au foyer de 4 enfants : "Je ne travaille pas, j'ai 4 enfants, mais j'ai de quoi m'occuper entre la maison et mes enfants... Il faut être là à l'heure pour les faire travailler, respecter les horaires pour qu'ils ne se couchent pas trop tard... Il faut être organisée et c'est, finalement, très épanouissant."

27 % des Français sont des Speedés satisfaits. Pour eux, le stress est vécu comme un élément valorisant de l'existence. Arriver chaque jour à faire ce qu'ils ont à faire (c'est-à-dire beaucoup) est un objectif que les Speedés satisfaits cherchent à atteindre en permanence. Le temps est une donnée fondamentale de leur existence, qu'ils gèrent et optimisent avec un réel bonheur. La qualité de leur vie est ainsi étroitement liée à leur capacité à occuper leur temps avec intensité.

Plutôt jeunes, exerçant des professions d'artisans ou de commerçants, ils sont également plutôt localisés en région parisienne. 36 % d'entre eux aiment *disposer de temps*, contre 25 % qui souhaitent *maîtriser le temps*, 22 % *gagner du temps* et 17 % *valoriser le temps*.

Il ne se dégage donc pas d'aspiration fortement majoritaire dans ce groupe. Bien que confrontés en permanence à la contrainte temporelle, ils ne souhaitent pas outre mesure gagner du temps. Sans doute pensent-ils que ce gain de temps est illusoire car chaque minute gagnée est en fait immédiatement investie dans une nouvelle activité consommatrice de temps.

A contrario, l'élément le plus déplaisant est pour 43 % d'entre eux d'*avoir perdu du temps*. La perte de temps, contrairement au gain de temps, a un effet directement mesurable car les activités programmées ne peuvent être réalisées ; elle est ainsi cruellement ressentie.

Les "Speedés frustrés" : 14 %.

• *Font coûte que coûte ce qu'ils ont à faire.*

• *Souhaitent que leurs enfants prennent le temps de faire les choses.*

• *Redoutent, plus que les autres, de ne pas avoir le temps.*

Stéphane P., 21 ans, célibataire, Evry, en formation par alternance. "Je manque de temps libre. Je n'ai pas beaucoup le temps de m'occuper de mes loisirs. Je suis obligé de travailler continuellement [...] Ça m'empêche de profiter de la vie."

14 % des Français vivent le temps comme une contrainte, et en tant que telle, comme un facteur de stress négatif.

Le temps influe directement sur la qualité de leur vie : le manque de temps est ressenti comme un facteur de déséquilibre. La sur-représentation des 35 à 49 ans et la présence d'enfants illustrent cette situation. Au moment décisif de leur vie professionnelle, ils se sentent frustrés du manque de temps à consacrer à leur vie familiale.

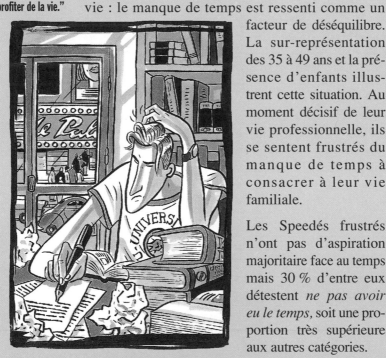

Les Speedés frustrés n'ont pas d'aspiration majoritaire face au temps mais 30 % d'entre eux détestent *ne pas avoir eu le temps,* soit une proportion très supérieure aux autres catégories.

Les "Cool tourmentés" : 10 %.

- *Prennent le temps de faire les choses.*
- *Souhaitent que leurs enfants fassent coûte que coûte ce qu'ils ont à faire.*
- *N'aiment pas voir passer le temps.*

10 % des Français vivent mal leur détachement à l'égard du temps : s'ils prennent le temps de faire les choses, ils ne le souhaitent pas à leurs enfants. Pourquoi ? Essentiellement parce qu'ils sont confrontés à l'angoisse du temps inoccupé.

La présence importante des plus de 65 ans dans cette catégorie est significative. Après l'activité professionnelle, la retraite est mal vécue et ressentie comme une période de vacuité.

Cette peur du vide est confirmée par leur appréciation quant aux situations jugées les plus déplaisantes : pour 44 % d'entre eux, le pire est de *voir passer le temps*. La qualité de leur vie est fondée sur leur perception du temps.

Cécile S., 54 ans, divorcée, employée : " Le soir au bureau, on regarde sa montre pour savoir dans combien de temps on s'en va. Il y a des jours où on est bien occupé, et là ça passe plus vite que d'autres."

Pour 51 % des Cool tourmentés, la situation la plus plaisante est de *disposer de temps*, aspiration majoritaire qui peut sembler surprenante, mais qui ne l'est pas : ils entretiennent une angoisse ambivalente face au temps. Ils sont désolés de ne pouvoir occuper pleinement le temps libre qu'ils ont en abondance. Mais ils sont également angoissés par une perspective à plus longue échéance : ne pas vivre assez longtemps pour faire ce qu'ils aimeraient faire.

Le Temps objectif

*Le temps autrefois,
c'était paresser, se réunir,
réfléchir. Aujourd'hui,
il faut en faire de plus
en plus dans le moins
de temps possible.*

**François V.,
dessinateur industriel, Dijon.**

Le temps est avant tout défini comme l'espace qui, pour l'individu, sépare sa naissance de sa mort. C'est un bien limité qui diminue en permanence et ne se renouvellera jamais. Chaque moment consommé est irrémédiablement perdu dans sa quantité et dans sa qualité. Le temps, c'est à la fois le capital de vie dont dispose un individu et le flux irréversible qui le conduit à la mort.

Le temps va être perçu au travers d'un rythme biologique (le vieillissement) ou naturel (alternance du jour et de la nuit et des saisons qui marquent le temps) et au travers de la qualité du vécu de chaque moment (donnée subjective d'appréciation du temps, à la fois par rapport à la durée : le temps passe plus ou moins vite, et par rapport au contenu : le temps passe plus ou moins agréablement).

La relation actuelle avec le temps de notre société est perçue comme différente de ce qu'elle était autrefois. La perception des Français oppose l'abondance de temps dont disposaient nos aïeux au manque de temps dont souffrent nos contemporains. Cette valorisation du temps d'au-

trefois ne se fait pas sans réserves : personne ne souhaite échanger ses activités d'aujourd'hui ni son enveloppe globale de temps (on vit plus longtemps) pour un rythme plus lent, plus naturel... mais qui risque de s'accompagner d'ennui !

Les Français travaillent deux fois moins qu'en 1945.

Les Français regrettent l'abondance de temps d'autrefois... Et pourtant, une mesure objective du temps montre que ce regret est loin d'être fondé : le temps libre d'aujourd'hui est 3,5 fois plus long qu'en 1900 et 7 fois plus long qu'en 1800. Ne serait-ce que depuis la fin de la Seconde Guerre mondiale, le temps de travail des Français a été divisé par deux. En un peu plus de quarante ans, la durée de la vie consacrée au travail s'est raccourcie de dix ans, laissant autant de place pour les loisirs.

Le sentiment de manquer de temps est donc largement contesté par les chiffres. Mais personne ne s'en rend compte parce qu'on a calqué sur ce temps libéré des attitudes façonnées dans le monde du travail qui, lui, ne jure que par la vitesse. On s'est lancé dans une boulimie d'activités frénétiques, souhaitant ne rien perdre de ces heures de loisirs.

Du travail à la tâche
au S.M.I.C. horaire.

200 000 !

200 000 appels chaque jour à l'horloge parlante. 200 000 personnes qui consultent ses tops horaires pour vérifier l'heure légale française, diffusée depuis l'observatoire de Paris. C'est en 1933 que la pendule s'est dotée d'une voix, première mondiale à l'époque. Aujourd'hui, sur le 36 99, l'horloge parlante électronique à microprocesseur offre une précision de l'ordre de la microseconde.

Elle enregistre traditionnellement quelques pics d'affluence : aux changements d'horaire en mars et en septembre, et pour le Nouvel An, histoire d'entamer l'année à la bonne heure.

Cette opposition entre le temps objectif et le temps ressenti s'inscrit dans l'évolution continuelle des délais au cours de l'histoire. Ce temps laissé pour faire ou obtenir quelque chose est sans doute apparu le jour où l'homme a dû évaluer une durée parce qu'il était confronté à des obligations extérieures non naturelles : un rendez-vous, par exemple.

Avec l'augmentation de ces contraintes, parfois contraires au rythme naturel, les délais se sont aussi multipliés. Autrefois dans les campagnes, les hommes réglaient leur vie quotidienne sur la course du soleil dans le ciel, guettaient le retour des saisons. De fait, l'existence était découpée en longues plages modelées sur la nature. Les livres d'heures du Moyen-Age – comme celui, lumineux, du duc de Berry – avec leurs calendriers et leurs miniatures, racontent ces travaux et ces fêtes paysannes rythmés par la terre et les saisons.

Après la découverte de l'horloge, au XIVe siècle, le temps devient plus présent : il s'affiche aux clochers des cathédrales et des beffrois. Les carillons ponctuent la journée à intervalles réguliers et les délais entre les différentes occupations sont plus marqués. Le temps est plus morcelé dans les villes, donc plus artificiel. Les corporations fixent le début de la journée de labeur à une heure qui ne correspond plus au lever du soleil. Le paysan se fait artisan, puis ouvrier, sort de son environnement naturel pour travailler. Au fil des siècles, avec le développement de l'industrie, son activité n'est plus rémunérée à la pièce, mais à la journée, puis à l'heure. Avant, le travail était la mesure du temps : c'était l'œuvre qui était rétribuée quand on avait fabriqué un objet, ou cultivé un champ. Désormais, c'est le temps qui est la mesure du travail.

Du cadran solaire à l'horloge atomique.

Dès qu'il a eu une vie sociale, l'homme a cherché à mesurer le temps. Il y a quelque 3 000 ans, les astronomes égyptiens mirent au point le cadran solaire, qui n'était parfois qu'un simple bâton planté dans la terre. Et s'il faisait gris ? Les anciens observaient le temps de combustion d'une chandelle ou celui de l'écoulement de l'eau avec des clepsydres, véritables horloges hydrauliques. Jusqu'au Moyen-Age, on se contenta de ces instruments. Le sablier, parfait pour mesurer de courtes durées, fut probablement utilisé dès le XIVe siècle. La grande innovation, à la même époque, provint de l'horloge à foliot où les oscillations régulières d'une barre métallique, le foliot, réglaient le mouvement d'une aiguille autour du cadran. En 1500, de petites horloges, des montres, sont créées pour de rares privilégiés.

C'est en 1676 qu'un mathématicien hollandais, Huygens, invente la première horloge à pendule, d'une plus grande précision : l'aiguille des minutes va pouvoir figurer sur le cadran ! Et à partir du XVIIIe siècle, la montre se généralise dans la bourgeoisie. Mais chaque ville règle son horloge en fonction de sa longitude : celle de Strasbourg avance donc de 49 minutes sur celle de Brest... Le développement des chemins de fer impose une unification, et c'est en 1891 que la France se résout à adopter une seule heure légale.

La première horloge atomique est inventée dans les années cinquante. Peu à peu, le temps astronomique est remplacé par le temps atomique : l'unité est le temps que prend un atome de celsium pour vibrer un peu plus de 9 milliards de fois. Ces horloges atomiques sont impitoyables : elles donnent l'heure exacte au millionième de millionième de seconde près !

Le Temps social

Plus on dégage du temps,
plus on est occupé
à faire autre chose,
c'est un cercle vicieux.

Jocelyne B.,
femme au foyer, Paris.

On constate dans notre société un déplacement du statut du temps, qui passe d'une logique d'épargne (le temps qu'on laissait s'écouler à son rythme naturel, en accordant à chaque tâche le temps nécessaire à sa réalisation) à une logique de consommation. L'abondance des possibilités offertes incite à désirer sans cesse de nouvelles activités et donc plus de temps pour pouvoir s'y consacrer.

La société change,
le temps aussi.

Retard n'est pas sioux.

La perception des délais évolue dans l'histoire car le temps n'est pas unique. A côté du temps objectif qu'égrènent les horloges, du temps biologique qu'explore la chronobiologie, cohabitent le temps social et le temps subjectif. Comme l'explique l'anthropologue américain Edward Hall, il faut séjourner à l'étranger pour se rendre compte des différentes perceptions du temps social.

Ainsi, notre frénésie à refuser le moindre délai n'est pas vécue avec cette intensité partout. Certains peuples d'Afrique occidentale, certains Indiens, ou encore les Japonais n'ont pas de futur dans leur système des temps verbaux, même s'ils l'expriment autrement. Le vocabulaire sioux ne connaît pas les mots retard ou attendre. *"Pour eux, un événement se produit quand le temps en est venu"*, explique Edward Hall. Au Nigéria, la tribu des Tiv découpe le temps en occupations sans longueur prédéterminée : il y a un temps pour les visites, un temps pour la cuisine, un temps pour le marché, et on se laisse porter par l'activité, et non par le temps qui doit lui être consacré. Au Moyen-Orient, attendre 45 minutes, voire une heure pour un rendez-vous n'a rien d'exceptionnel, alors qu'une telle attente provoquerait chez nous une émeute.

En Occident, un homme lent est souvent accusé d'impolitesse, voire d'irresponsabilité. En Afrique ou en Asie, c'est l'homme pressé que l'on juge irrespectueux du rythme des autres. *"Au Japon, même aux pires heures d'affluence, il n'y a pas de scène d'énervement"*, raconte Dominique Palmé, traductrice de japonais. *"Dans le métro, les gens somnolent, ils profitent de chaque moment de pause pour se regonfler en énergie. Ils ont une forte capacité pour s'immerger dans le présent, peut-être parce qu'ils vivent en permanence avec l'idée qu'un tremblement de terre ou un typhon peut tout détruire. La notion d'éphémère et de fragilité est omniprésente."*

Course
contre la montre.

"Time is money", le temps, c'est de l'argent, avait proclamé Benjamin Franklin en 1748. La civilisation moderne qui a érigé la vitesse et la rapidité en valeurs suprêmes lui donne raison. *"L'homme invente le temps dont il a besoin. Tout au long de son histoire, il découpe le temps en intervalles dont la durée correspond à la demande de la société où il vit"*, expliquent Jean Matricon et Julien Roumette (1). Et comme notre société réclame de produire, de voyager, de consommer plus et plus vite, notre existence est happée dans un engrenage temporel qui traque impitoyablement la moindre minute qu'on imagine perdue.

Résultat : aujourd'hui, toutes les structures sociales tendent vers un seul objectif, supprimer ou du moins réduire les délais.

Les transports participent en bonne place à cette course poursuite contre le temps. L'histoire de la navigation, de l'aviation et des chemins de fer est jalonnée d'une succession de records de vitesse. En 1819, le *Savannah*, premier bateau à vapeur à se risquer sur l'Atlantique, met 29 jours et quatre heures pour relier l'Amérique du Nord à Liverpool.

En 1838, un navire britannique, le *Great Western*, réalise la même traversée en moins de quinze jours. Quant au célèbre *Lusitania*, il décroche le Ruban bleu en pulvérisant, en 1907, le record de

(1) *"L'Invention du temps"* – Explora, Presse Pocket.

l'Atlantique en… quatre jours et 19 heures. Aujourd'hui, les navires transatlantiques arrivent en Europe après trois jours et demi de mer, tandis que le *Concorde* survole l'océan en trois heures.

Le développement des chemins de fer, à partir de 1860, va de pair avec l'industrialisation qui a besoin d'échanges rapides pour distribuer les biens de consommation. Le progrès exige la grande vitesse et, depuis un siècle, les délais ferroviaires ont été considérablement réduits sur toutes les lignes. La liaison Paris/Clermont-Ferrand en offre un exemple éloquent : elle s'effectuait en 17 h 05 en 1856, 9 h 26 en 1875 et prend 3 h 30 aujourd'hui. C'est que chaque minute compte pour des passagers de plus en plus pressés.

Dictons d'hier et d'ailleurs.

La fuite du temps, l'attente, la durée, les jours qui passent, s'illustrent dans de nombreux dictons de manière souvent imagée. Tite-Live énonce : "Le danger est dans le délai." Cet autre adage latin souvent gravé sur les cadrans solaires : "Tu ne peux pas retenir ce jour, mais tu peux ne pas le perdre." Autre habitué des cadrans solaires : "Il est toujours plus tard que tu ne crois." Un dicton anglais assène joliment : "Un de ces jours, c'est aucun de ces jours." "Par la rue de *plus tard*, on arrive à la place de *jamais*", est l'équivalent espagnol de notre "Ne remets pas au lendemain ce que tu peux faire le jour même". Les Grecs affirmaient que "La plus coûteuse des dépenses est la perte du temps", et "Le temps révèle tout : c'est un bavard qui parle sans être interrogé" (Euripide).

Les Russes expriment leur sens de la fatalité dans un adage évocateur : "Le temps n'est pas un loup, il ne fuira pas dans les bois." Cette inexorabilité des jours était déjà bien formulée par les Romains avec "Le temps fuit sans retour" et cette maxime d'un réalisme cruel : "Chaque heure nous meurtrit, la dernière tue…"

Le Temps subjectif

Quand on s'investit dans quelque chose, le temps paraît trop court ; quand on s'ennuie, il semble souvent trop long.

Pascale G., enseignante, Tours.

Plus que la durée objective (nombre d'heures), c'est le contenu du temps qui est important. L'épanouissement individuel passe par la valorisation des loisirs. Le manque de temps aujourd'hui est en général fortement corrélé à un espace temps jugé insuffisant pour réaliser toutes les activités personnelles que l'on souhaite. Les différents moments de la vie se définissent désormais par rapport aux activités contraignantes : on vit différemment au travail, en vacances ou en week-end. Le temps est souvent apprécié lorsqu'il n'est pas mesuré et lorsque l'activité qui l'occupe est choisie par l'individu. L'appréciation du temps est très individuelle, le temps valorisé est souvent le temps pour soi.

A chacun
son temps.

La perception des délais varie avec les sociétés, mais aussi avec les individus d'une même culture, car le temps est subjectif. En France même, l'urgence n'est pas ressentie partout de la même manière.

Le rapport distance/temps n'est par exemple pas le même partout. A Paris, un temps de trajet de trente minutes pour aller au travail est la norme ; à Avignon, cela commence à compter ; à Saintes, c'est très long !

L'âge joue également un rôle. Dites à un enfant de deux ans que vous revenez dans cinq minutes, il pleurera, croyant que vous le quittez à jamais. Le jeune enfant n'a pas de notion claire du temps, il ne ressent que des impressions comme l'attente. C'est entre six et huit ans que s'élabore sa notion de durée. Peut-être au moment même où il apprend à lire l'heure à l'école !

Question
de caractères.

Le temps subjectif fluctue aussi en fonction des caractères. Certains considèrent les horaires comme un impératif absolu, d'autres sont plus ou moins des phobiques de la montre. Les premiers regardent  les seconds comme des gens mal organisés et peu consciencieux. Ils se méfient de ces tempéraments cavaliers avec la ponctualité. Les seconds ne se sentent pas à l'aise dans un carcan temporel trop rigide et ne se formalisent jamais d'un quart d'heure de retard, surtout s'il vient d'eux. Poussées à l'extrême, ces tendances peuvent virer à la pathologie : les dépressifs trouvent le temps interminable, les maniaques au contraire vivent dans un présent accéléré.

Et qui n'a pas la sensation de vivre tour à tour un temps qui n'en finit plus ou qui au contraire est trop court ? La perception de la durée dépend aussi de nos activités, de nos états d'âme, de nos intérêts. Le psychologue Paul Fraisse a dégagé certaines lois du temps subjectif. Plus une activité est morcelée, plus elle paraît durer longtemps (exemple, l'ouvrier à la chaîne). Plus le besoin est urgent, plus le temps semble traîner. Plus une activité est intense, passionnante et variée, plus elle est perçue comme brève sur le moment. Mais rétrospectivement, ce sont ces périodes riches en impressions fortes qui nous paraîtront les plus longues.

Vie professionnelle contre vie privée.

Travailler moins serait-il un slogan d'avenir ? Dans la métallurgie en région parisienne, plus de trois salariés sur quatre (79 %) se déclarent favorables à la réduction du temps de travail. C'est ce que révèle une enquête lancée par l'Union parisienne des syndicats de la métallurgie (U.P.S.M.) en partenariat avec le C.N.R.S., réalisée auprès de 8 500 salariés dans 93 entreprises d'Ile-de-France au premier semestre 1994. La préoccupation première de ces salariés n'est plus, cette fois, la création d'emplois, mais la volonté de disposer de plus de temps libre ; 72 % d'entre eux estiment qu'ils n'en ont pas assez...

La subjectivité du temps trouve sa plus parfaite illustration dans la véritable dichotomie que les Français opèrent entre vie professionnelle et vie privée. Pour eux, il existe deux temps bien distincts : le temps du travail perçu comme une contrainte d'une part, le monde des loisirs assimilé à la liberté d'autre part. Cette séparation du temps est confirmée par une enquête réalisée en septembre 1994 par l'I.F.O.P. pour le compte de l'émission "Ça se discute". Ce sondage indique que, pour 53 % des Français, "réussir sa vie, c'est avant tout réussir sa vie privée" et que, pour 76 % d'entre eux, "la vie privée passe avant la vie professionnelle". La corrélation entre bonheur et vie privée se retrouve à travers les causes de frustration et d'angoisse face à l'avenir : essentiellement la peur de rater sa vie privée ("ne pas profiter des enfants" ou "la vacuité de la retraite"). Tout se passe comme si les Français opéraient une scission complète entre leur vie professionnelle et leur vie privée…

Le temps est une personne.

"Si vous connaissiez le temps aussi bien que je le connais moi-même, vous ne parleriez pas de le gaspiller comme une chose. Le temps est une personne", assure le Chapelier de Lewis Carroll, dans "Alice au pays des merveilles". Le vocabulaire qui personnifie souvent le temps lui donne raison. Le temps, on le fuit, on le trouve, on le trompe, on l'emploie, on le prend, on l'occupe, on le néglige, on le rattrape, on le maîtrise. Ou on le tue. Les Anglais parlent même de "Father Time". D'autres fois, on le considère comme une matière précieuse : on a du temps ou pas ; on se met alors à le gaspiller ou à l'économiser, à en perdre ou à en gagner, comme si on était engagé contre lui dans une course sportive. Et l'on se croit vainqueur si on parvient à le gérer ou à l'organiser. Mieux, à le donner.

Le Temps
du travail

*L'argent permet
de gagner du temps.*

**Frédéric B.,
employé de bureau,
Courbevoie.**

L'argent est fortement présent dans la relation avec le temps. L'argent intervient de façon importante via la nécessité de travailler pour gagner sa vie ; il est très présent dans la qualité du temps, pour financer les différentes activités souhaitées ; il est nécessaire pour l'accès aux outils technologiques permettant de gagner du temps (électroménager, transports, communications...). Le temps passe donc du statut biologique à un statut de bien consommable.

Travailler,
c'est aller vite.

Le monde du travail est le principal responsable de la pression accrue des délais au sein de notre société. Cette pression s'accélère au XIXᵉ siècle avec les chaînes de montage, les pointeuses à l'entrée des usines, les échanges et transports internationaux. Chaque geste est chronométré pour sauver de précieuses secondes. La fabrication en série inaugurée par Henry Ford au siècle dernier dans ses usines de Detroit, raillée par Chaplin dans "Les Temps modernes", puis le taylorisme entre les deux guerres, reposent sur un axiome simple : si on produit vite, on produit plus et moins cher, on vend plus, et on fait plus de profit.

La Qualité :
dans l'ère du temps.

Les entreprises – qui ont pour vocation de générer du profit, c'est-à-dire de gagner de l'argent – ont fait évoluer leurs méthodes. Après avoir prôné le travail à la chaîne qui dépersonnalise et déresponsabilise, elles ont dû depuis quelques années remodeler leurs systèmes de production. Sur le modèle des firmes automobiles japonaises, elles se sont engagées dans la bataille de la qualité.

Celle-ci s'appuie sur quelques données simples comme le "zéro défaut", le "zéro panne" ou le... "zéro délai" (pas d'attente dans la livraison, on

travaille en flux tendus sans stock intermédiaire). Pour réussir cette équation, on gère le temps dans l'entreprise au plus juste. *"Avec la non-qualité,* indique Edgar Hamalian (2), *le temps se chiffre : un quart en moyenne du temps de présence du personnel est consacré à corriger les erreurs, rattraper*

(2) *"Objectif qualité totale"* – Economica.

175

les fautes. Tout ce qui est chronophage, qui dévore le temps, doit être pointé, puis supprimé."

Yves Dubreuil, directeur de la prospective chez Renault, résume ce système d'organisation en une phrase : *"Savoir tenir les délais envers les clients, c'est d'abord les réduire dans l'entreprise."* Et ça marche ! La Twingo a été élaborée en six à neuf mois de moins que ce que requiert d'ordinaire un projet similaire.

Le monde du travail s'est aussi rapidement adapté à toutes les nouvelles technologies : informatique, télécopie, Minitel, système Numéris, téléphone portable, télématique, téléconférence, signal d'appel, qui visent à raccourcir les temps de réponse, de communication, de livraison.

Comme il s'agit de faire savoir à l'extérieur que l'on est efficace parce que rapide, on l'annonce dans le nom de la marque ou de l'entreprise elle-même. Quick, Cinq à sec, Clé-minute, Rapidoffset, Speedy, Vit Repro, Pizza Flash. En 1954, deux marques seulement (des montres) contenant le mot "chrono" ont été déposées ; en 1974, sept (dont encore des montres et une société de livraison de journaux) ; en 1984, treize marques françaises avec ce mot ont été enregistrées, et en 1992, ce sont... 44 marques avec "chrono" dans leur intitulé qui ont été déposées, notamment des entreprises de dépannage comme Allo dépannage chrono ou des messageries, des sociétés d'informations financières : Chronobourse, une entreprise de déménagement et de transport de literies Chronoliterie, et même un médicament, Chrono aspirine, à "activité programmée". L'Institut national de la propriété industrielle répertorie actuellement 415 marques françaises qui contiennent le mot "chrono", 542 "rapide", et 874 "vite".

Le Temps libre

*Perdre son temps
c'est… faire la queue
au supermarché,
être bloqué
dans les transports.*

**Mireille D.,
secrétaire, Cergy.**

La technologie actuelle offre de larges possibilités de gain de temps et l'organisation personnelle influe peu sur la relation avec le temps : plus que leur planification, c'est la quantité d'activités qui génère l'appréciation de l'espace temps.

La recherche de gain de temps apparaît comme utopique, tout temps dégagé sera réinvesti dans de nouvelles activités... et cette course effrénée n'est pas aussi négative que le discours au premier degré pourrait le faire croire car l'angoisse du temps inoccupé et de l'ennui est plus forte que tout. On peut dire que l'activité est synonyme de vie, alors que la vacuité est synonyme de mort.

Ce déplacement est accompagné d'une différence de perception du temps, qui passe d'une relation harmonieuse à une relation de frustration. Curieusement, cette frustration provient en partie des possibilités de gain de temps offertes par la technologie. On supporte d'autant plus mal les limites de cette technologie qu'elle suscite de fortes attentes (c'est le cas par exemple de la voiture, qui a permis un gain de temps énorme dans les déplacements mais qui peut devenir un objet de frustration et de révolte lorsqu'on se trouve bloqué dans les embouteillages).

C'est pourquoi les moments les plus rejetés sont les temps de transport et les temps d'attente. Ces moments correspondent à une inactivité imposée.

Tourbillon domestique.

L'influence de la technologie dans la sphère privée du temps s'illustre à travers une révolution : l'électro-ménager. Il a transformé les cuisines, économisant les efforts... et le temps.

Dès le début de ce siècle aux Etats-Unis puis en Europe, la machine à coudre remplace l'aiguille, l'aspirateur le balai, la machine à laver la lessiveuse. Tous ces appareils "presse-bouton" trouvent leur place parce qu'ils représentent un gagne-temps pour la ménagère qui commence à travailler à l'extérieur.

En fait, on applique à la maison le même principe de rationalisation adopté par l'industrie. A partir de 1923 à Paris, les Salons des arts ménagers glorifient cette mécanisation domestique. La réclame s'en empare. Ici, l'affiche d'un "moto-laveur" pionnier affirme qu'il lave, rince et sèche 18 assiettes en six minutes. Là, un des premiers modèles américains de machine à laver est baptisé modestement "Speed Queen".

Aujourd'hui, 90 % des ménages français possèdent un lave-linge et 40 % d'entre eux (aussi bien jeunes qu'âgés selon le Syndicat des appareils ménagers) se sont déjà laissé séduire par le dernier venu, le four à micro-ondes. Certes, il bouleverse les habitudes culinaires par sa rapidité, mais il s'affirme comme le complément indispensable des surgelés.

Pendant ce temps, sont arrivés sur le marché les produits de la quatrième gamme (sous vide) encore plus faciles à préparer : salade déjà triée, carottes déjà râpées. D'ailleurs, plus besoin de perdre son temps à faire les courses, le téléachat nous guette.

On sait toujours quoi inventer.

On ne compte plus les objets, les outils, ces petits riens inventés pour gagner du temps dans la vie quotidienne. Florilège non exhaustif.

Agrafeuse : c'est en 1868 qu'elle a été inventée par un Anglais, Charles Gould, pour dispenser les relieurs-brocheurs de coudre les périodiques. La livraison de toutes les publications était ainsi accélérée.

Cafétéria : le mot n'a été trouvé qu'en 1902. Mais c'est en 1876 qu'un Américain Fred Harvey, a eu l'idée d'un lieu où les voyageurs de la ligne de chemin de fer Chicago-Quincy pourraient se rassasier (assis) plus vite que dans un restaurant.

Cocotte-Minute : le principe de cette marmite sous pression a été inventé par le Français Denis Papin en 1681. Munie d'une soupape de sûreté, elle cuisait très rapidement les aliments grâce à la vapeur accumulée. La Cocotte-Minute proprement dite a été découverte par Seb en 1953.

Fermeture Eclair : le brevet de ce système de fermeture et d'ouverture bien plus rapide que les boutons a été déposé, en 1893, par un Américain, Whitcomb Judson. Son utilisation, tellement pratique, s'est répandue dès les années vingt.

Four à micro-ondes : pour cuire des pommes de terre en quelques minutes, un rôti en quinze minutes : son brevet a été déposé en 1953 par la société américaine Raytheon.

Rasoir électrique : ou comment gagner du temps tous les matins en se rasant... Plusieurs brevets ont été déposés aux Etats-Unis dès 1900. C'est finalement l'invention de Jacob Schick en 1928 qui était la plus au point. Son rasoir électrique a été diffusé à partir de 1931.

Tout, tout de suite.

La quête du moindre délai n'épargne aucune activité humaine. La technologie-gain de temps s'attaque aussi aux loisirs. Fini l'attente pour découvrir les photos de famille. Elles sont prêtes en moins d'une heure. Et avec le caméscope, on visionne tout, tout de suite. Vous voulez partir en vacances ? Avec le Minitel, vous réservez vos places de train, choisissez un appartement au bord de la mer, vous vous inscrivez à un stage de golf, tout cela en moins d'un quart d'heure. Avec l'arrivée du multimédia et des autoroutes de l'information, l'instantané prépare son triomphe : chacun pourra, depuis son écran personnel, se brancher sur les nouveaux jeux interactifs à peine sortis aux USA, ou encore faire son choix parmi une vidéothèque de plusieurs milliers de films.

Athlétisme : les records du monde du 100 m depuis 1912

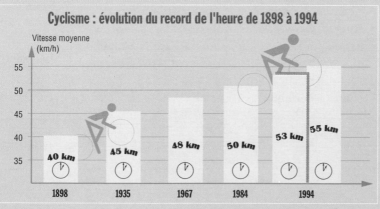

Cyclisme : évolution du record de l'heure de 1898 à 1994

Chiffres.

33 heures 30 minutes : c'est le temps de la première traversée de l'Atlantique en avion réussie en 1927. L'auteur de l'exploit : l'Américain Charles Lindbergh, sur son monoplan mythique *Spirit of Saint Louis*.

Trois mois *:* à l'époque gallo-romaine, Cicéron raconte qu'une lettre mettait trois mois pour aller de la Bretagne à Rome.

2 jours *:* aujourd'hui, c'est le délai nécessaire à Chronopost pour livrer une lettre de Paris à Singapour.

1891 *:* en 1891, il y avait à Paris cinq levées et sept distributions de courrier par jour.

Neuf ans : un Français qui regarde en moyenne la télévision trois heures par jour passe ainsi neuf années entières de sa vie vissé devant le petit écran...

27 heures : une femme française qui travaille consacre plus de 27 heures par semaine au temps domestique (cuisine, ménage, s'occuper des enfants, bricolage), une Américaine 25 heures, une Anglaise près de 19 heures et une Néerlandaise 13 heures.

Attente honnie.

L'I.F.O.P. met en exergue un très fort rejet des temps d'attente : notre société moderne s'est engagée dans une course poursuite toujours plus rapide contre le temps.

Conséquence : l'homme, empêtré dans ce filet temporel, oscillant en permanence entre stress et frustration, ne supporte plus l'idée d'attendre. Un temps de réponse de vingt secondes au téléphone lui semble une éternité, patienter trente minutes pour obtenir un passeport vire au supplice, et guetter un métro qui tarde de quelques minutes lui fait presque perdre la raison.

Qui fait attendre les autres exerce un pouvoir. *"Comme nous vivons dans une société où on répète sans arrêt qu'il faut être rapide et productif, la lenteur des autres qui provoque notre attente est assimilée à une atteinte à notre propre liberté,* analyse Roger Sue (3). *Parce qu'on constate que la vitesse, d'ordinaire reine, ne s'applique pas à nous au moment précis où on en a besoin."*

(3) Roger Sue a notamment publié "Temps et ordre social" et "Vers une société du temps libre" – P.U.F.

Cette phobie de l'attente témoigne d'une civilisation qui a perdu ses repères temporels. Le présent est désormais notre seul temps : on vit dans l'instant, l'immédiat.

Il y a quelques années, Jean-Louis Servan-Schreiber (4) l'avait soudain réalisé en tombant en arrêt devant une montre à quartz à affichage numérique : plus d'aiguilles qui tournent, plus de durée qui s'enroule, plus de temps en profondeur ; mais des secondes figées dans l'instant.

Les résultats de l'étude confirment cette dualité : celle d'une société où le rapport avec le temps se dédouble et dans laquelle la qualité de la vie s'identifie à la nature du temps.

Un temps désormais compté dans notre vie professionnelle, à laquelle nous sommes logiquement conduits à arracher des instants pour les restituer à notre vie privée.

---

(4) Anecdote racontée dans "L'Art du temps" – Fayard.

Les conclusions que l'on peut tirer des différentes analyses précédentes vont dans un sens bien précis : celui de l'avènement et du règne du temps du client.

La clientèle grand public, par exemple, donne une valeur temporelle spécifique à chaque produit et service. Le temps devient une dimension importante avant, pendant et après l'achat. Le positionnement des biens et services sur des axes temporels est un moyen de matérialiser l'exigence temps du consommateur, de choisir une politique de distribution adaptée.

Dans le domaine des échanges interentreprises, le respect du délai est un critère majeur de satisfaction des clients à l'égard de leur fournisseur, au même titre que la qualité et le prix.

De plus, la rapidité et la ponctualité de la livraison sont des éléments déterminants de l'image du fournisseur, et influencent la qualité et la pérennité de la relation commerciale.

Pour l'un comme pour l'autre marché, choisir les modes de transport et la stratégie logistique adaptés permet de satisfaire l'exigence temps du client. Certaines entreprises l'ont bien compris, qui développent des solutions concrètes pour livrer leurs clients dans les meilleures conditions, c'est-à-dire le plus souvent avec rapidité et ponctualité.

En amont du transport et de la logistique, il est également possible d'agir sur l'offre elle-même : le temps devient alors un élément décisif de différenciation du service rendu au client. Il est peut être le 5e élément du marketing mix, un élément transversal aux quatre autres, jusqu'ici négligé et pourtant devenu aujourd'hui essentiel.

Les exemples développés précédemment montrent que les entreprises qui ont compris l'importance du temps et l'ont intégré dans leur stratégie marketing ont réalisé des percées rapides et décisives sur leur marché.

Ces exemples ne sont pas limitatifs, car ce livre ne représente qu'une première incursion dans le domaine nouveau du rapport Qualité/Temps appliqué à l'entreprise : des recherches ultérieures viendront compléter l'analyse et enrichiront la réflexion initiée ici.

Dans la compétition économique acharnée qui se livre aujourd'hui à l'échelle mondiale, l'approche Qualité/Temps devient pour notre pays un facteur de succès et de compétitivité majeur.

Toutes les entreprises peuvent suivre les pionnières qui ont ouvert la voie en intégrant le rapport Qualité/Temps dans leur stratégie et organisation. Une voie d'avenir. Celle des entreprises gagnantes du XXIe siècle.

POSTFACE

La rapidité, la réactivité, la ponctualité sont au coeur de la performance de l'entreprise car les clients ont des attentes fortes à ce sujet. Le livre que nous donne à lire Frédéric Tiberghien nous montre bien de quelle façon et à quel point. Il faut dire qu'à la direction de Chronopost, il se trouve aux avant-postes pour observer et pour agir sur cette dimension du temps dans la relation client/fournisseur.

Cette lecture est stimulante car elle invite les responsables des entreprises à s'interroger sur leurs manières de voir et de faire. Les services fournis, les produits vendus aux clients doivent être repensés avec cette dimension du temps. Nous reprenons ci-dessous quelques questions pour un tel examen. Au delà de cette grille d'analyse, l'ouvrage sur le rapport Qualité/Temps appelle et introduit différentes réflexions pour agir sur les performances de l'entreprise ; nous proposons des points de repère pour aller dans cette voie.

Questions pour l'examen du rapport Qualité /Temps.

En considérant la spécificité de nos marchés et de nos clients, quel est le niveau de performance de nos fournitures de produits ou de services sous l'angle du temps ? Nos délais, notre réactivité, notre ponctualité sont-ils à la hauteur des attentes des clients ? Qu'est-ce qui permet de le dire ? Comment nous situons-nous par rapport à nosconcurrents les plus performants ?

Savons-nous dans l'entreprise considérer nos activités avec l'horloge du client, réaliser des opérations en ayant constamment à l'esprit le "temps du client", le temps vécu par le client au cours de sa relation avec notre entreprise ?

Comment sommes-nous organisés pour repérer les attentes des clients en matière de délais et de réactivité ? Connaissons-nous le poids de ces exigences de leur point de vue ? Ces attentes vont-elles évoluer à l'avenir et de quelle façon ? Quels sont les véritables enjeux pour notre entreprise en termes de conquête de nouveaux marchés (ou de perte des marchés actuels) ? Il convient, en fait, de considérer trois sortes d'attentes des clients pour les délais : les attentes implicites, celles qu'ils n'expriment pas car elles vont de soi ; les attentes explicites que les clients formulent et expriment de façon claire pour passer contrat ; les besoins latents, les attentes potentielles qui se manifestent en présence d'une offre nouvelle et plus performante.

Il convient également d'examiner la dimension contractuelle de la relation entre client et fournisseur. Quelle est la promesse faite par le fournisseur ? L'engagement pris est-il clair et précis pour les délais ? Le résultat promis est-il exprimé en terme de délais ? La précision de nos contrats sur cette dimension est-elle à la hauteur des exigences ? La performance du rapport Qualité/Temps doit se traduire dans les contrats car le contrat est le premier outil de définition de la qualité.

La performance Qualité/Temps est le résultat d'un processus de travail, ou de plusieurs processus. Quels sont les processus en question ? Sont-ils bien maîtrisés ? Comment les améliorer ? En effet, derrière la performance de délais constatée par le client, il y a en coulisses tout un ensemble d'activités internes qui permettent cette performance. Quels sont les processus de travail qui ont un impact fort sur le temps vécu par le client ? Comment analyser et améliorer nos processus internes sous l'angle du temps et des délais ?

Notre entreprise peut-elle se créer un avantage concurrentiel majeur en innovant sur le temps, que ce soit pour les délais, les temps d'intervention, les moments d'intervention ? Sur quels processus faut-il réfléchir pour aller dans cette direction ?

Points de repère pour améliorer la performance Qualité/Temps.

Le temps est une denrée rare et précieuse, c'est donc un champ où le progrès est possible pour l'entreprise. Voici quelques pistes de réflexion pour aller dans ce sens.

Un premier aspect concerne notre représentation du temps du client. Considérons un produit vendu ; hélas, le temps du client véritablement pris en compte par le vendeur est souvent celui de la vente elle-même, et dans les meilleurs cas celui de la vente et de la livraison. Une prise en compte du rapport Qualité/Temps, au plein sens du terme, suppose de considérer tout le cycle de vie du "besoin du client". Ce besoin passe par différentes phases : approches, identification du produit et contact avec le fournisseur ; choix ; commande ; livraison et acceptation ; utilisation et éventuellement difficultés d'utilisation ; appréciation par le client du produit utilisé ; fin de vie du produit, retrait de service ou destruction. A chaque phase, le temps est vécu d'une certaine façon par le client. Le facteur temps doit être examiné, non seulement pour la phase de livraison, mais aussi pour chacune des phases de ce cycle de vie du besoin des clients. Le temps du traitement des incidents doit tout à fait être pris en compte dans ce cadre. Cette vision élargie du temps du client conduit à changer nos représentations mentales concernant le service associé à la fourniture d'un produit. Un raisonnement analogue peut être conduit pour considérer le temps associé à la fourniture d'un service.

Un autre aspect concerne les contrats. Si l'on considère les relations client/fournisseur entre deux entreprises, le contexte général incite à raccourcir les délais, à travailler en juste-à-temps, à réduire les stocks... Il en résulte une très grande imbrication des activités des fournisseurs et de leurs clients, les processus des fournisseurs sont de plus en plus intégrés dans les processus de leur clients.

Ceci se vérifie pour toutes sortes de produits et de services (transports, entretien, conseil...). Pour cette raison, les exigences de délais sont stratégiques pour l'entreprise cliente. Le client a donc besoin de consolider les contrats avec des exigences concernant les résultats ou/et les moyens employés. Les Plans qualité, l'Assurance de la qualité, la certification de système qualité... autant de dispositions qui contribuent à créer la confiance entre client et fournisseur en appui au contrat signé. La mise en place de telles dispositions va continuer de se développer dans les activités de service à l'industrie.

Enfin, il est intéressant de réfléchir aux compétences qui permettent à une entreprise d'être efficace sur ses délais. Si la performance technique est due à la compétence technique des experts, la performance en délais et ponctualité est possible grâce à la compétence en organisation. En fait, la performance Qualité/Temps est révélatrice de la compétence organisationnelle de l'entreprise. L'entreprise qui est réactive, qui a des délais réduits et surtout qui respecte ses engagements de délais est une entreprise qui sait s'organiser collectivement. Ce savoir-faire en organisation permet de maîtriser les processus transverses. Plus précisément, cette compétence organisationnelle se manifeste par des comportements : travailler efficacement ensemble, se coordonner, communiquer entre les différents services, faire face à une charge de travail variable, se remplacer mutuellement grâce à la polyvalence, identifier les risques de dysfonctionnement et les éliminer de façon préventive... Mais les clients n'attendent pas seulement des délais courts, il faut aussi une très grande fiabilité des délais. Pour cela, la compétence nécessaire est une compétence collective : être capable de faire face aux aléas dans des équipes de travail aux responsabilités élargies. A l'inverse, les incidents sur les délais manifestent que les acteurs ne savent pas maîtriser les processus, et que l'organisation du travail à la fois fragile et rigide.

Quelles innovations pour un progrès significatif dans le rapport Qualité/Temps ?

Dans certains cas, ce qui est en jeu, ce n'est pas seulement le respect des délais ou leur amélioration de 10 à 15 %. Il convient parfois de redéfinir de façon radicale l'offre commerciale en termes de délais avec un progrès majeur et une diminution des délais de plus de 50 %. Dans cette perspective, il s'agit de reconstruire une autre façon de travailler, de reconcevoir les modes de fonctionnement.

Un tel changement implique de commencer par identifier les processus qui sont stratégiques pour ces gains de temps touchant les clients. Ensuite, il faut déterminer quel est le saut de performance nécessaire sur les délais pour obtenir un avantage concurrentiel marquant par rapport aux concurrents. Enfin il convient de choisir une stratégie de changement.

Schématiquement, il existe deux stratégies : l'invention d'un nouveau processus ou la transformation du processus existant avec les personnes concernées.

La première stratégie de changement consiste à faire l'exercice de la page blanche. Avec quelques spécialistes, on réinvente une nouvelle façon de faire le travail, en oubliant ce qui existe, en identifiant les fonctions qui doivent être remplies, en imaginant la façon la plus rapide et la plus simple de remplir ces fonctions avec l'aide des technologies modernes. Cela peut revenir à reconstruire une nouvelle entreprise ou un nouvel établissement à côté de l'ancien, ce qui pose d'autres problèmes.

L'autre stratégie de changement suppose d'impliquer les acteurs du processus dans un effort d'analyse et de transformation. Cette démarche consiste à analyser l'existant pour en faire une critique radicale et transformer la façon de faire le travail, avec les personnes concernées. Quelles sont les différentes activités et leur valeur ajoutée ? Quels sont les temps d'attente et peut-on les supprimer ? Qui intervient et peut-on réduire le nombre d'intervenants en globalisant les interventions ? Quel est le juste nécessaire ? Tout ceci conduit à redéfinir les flux de produits et les flux d'informations. La principale source de difficulté pour une telle démarche est la question de la faisabilité sociale d'une importante transformation. Les craintes et les réticences sont surmontées si les personnes concernées par ces changements y voient leur avantage en termes de responsabilité, de conditions de travail, d'intérêt au travail, de perspectives d'évolution, de qualification... L'innovation sociale doit soutenir l'innovation organisationnelle.

***

La lecture du *rapport Qualité/Temps* suscite de nombreuses réflexions si l'on veut faire du temps un véritable allié pour la réussite de l'entreprise :

• Quelle promesse faire au client, quel contrat temps proposer pour répondre à ses attentes ?

• Comment maîtriser nos processus dans un environnement variable pour fiabiliser nos délais ?

• Comment développer nos compétences organisationnelles pour de meilleures performances ?

• Sur quels processus innover pour obtenir un avantage concurrentiel avec les délais ?

• Quelles innovations sociales permettront de réussir les changements d'organisation ?

Didier Noyé
*Directeur des Méthodes
du groupe INSEP*

Dominique Genelot
*Président du Groupe INSEP
Président de l'association
"Esprit Service"*

Marché grand public
et rapport Qualité/Temps.

Structure de l'échantillon   *Base 1 055 = 100 %*

	ENSEMBLE %
SEXE	
Homme	**48**
Femme	**52**
AGE	
Moins de 25 ans	**18**
25-34 ans	**19**
35-49 ans	**27**
50-64 ans	**19**
65 ans et plus	**17**
PROFESSION DU CHEF DE FAMILLE	
Agriculteur	**3**
Artisan, commerçant	**7**
Profession libérale, cadre supérieur	**10**
Profession intermédiaire	**14**
Employé	**9**
Ouvrier	**25**
Retraité, autre inactif	**32**
CATEGORIE D'AGGLOMERATION	
CC1 Moins de 2 000 habitants	**26**
CC2 2 000 à 20 000 habitants	**16**
CC3 20 000 à 100 000 habitants	**13**
CC4 100 000 habitants et plus	**28**
CC5 Agglomération parisienne	**17**
REGION	
Région parisienne	**19**
Nord	**7**
Est	**9**
Bassin parisien est	**8**
Bassin parisien ouest	**10**
Ouest	**13**
Sud-Ouest	**11**
Sud-Est	**12**
Méditerranée	**11**

Enquête réalisée du 20 au 25 juillet 1994.

Marché des échanges interentreprises et rapport Qualité/Temps.

Structure de l'échantillon   *Base 598 = 100 %*

	ENSEMBLE %
LE METIER	
Producteur/fabricant	**13**
Service public/Administration	**5**
Commerce/distributeur	**61**
Activité de service	**21**
SECTEUR D'ACTIVITE	
Industrie agro-alimentaire	**3**
Industrie biens intermédiaires	**4**
Industrie biens de consommation	**6**
Industrie bâtiment et génie civil	**3**
Commerce	**55**
Transport et télécommunications	**2**
Service locatif, crédit-bail	**2**
Assurance, finance	**4**
Industrie biens équipement	**5**
Production véhicules	**1**
Autres	**15**
TAILLE	
Plus de 500 salariés	**14**
De 100 à 500 salariés	**10**
Moins de 100 salariés	**48**
Artisans, libéraux	**28**
SERVICE du répondant	
Achats/approvisionnements/expéditions	**28**
Import/export	**2**
Production/logistique/qualité	**12**
Maintenance/entretien/services généraux	**5**
Informatique/organisation/res. humaines	**5**
Juridique/finance/comptabilité	**6**
R&D/marketing	**3**
Communication/commercial	**29**
S.A.V.	**4**
Direction générale	**6**
FLUX PRINCIPAL	
Marchandises	**78**
Documents	**22**
REGION	
Région parisienne	**61**
Province	**39**

Enquête réalisée du 6 juin au 20 juillet 1994.

Transport et rapport Qualité/Temps.

Sources

INSEE : Institut National de la Statistique et des Etudes Economiques, Paris 14e.

Ministère des transports : Direction des transports terrestres, Paris-La Défense.

OEST : Observatoire Economique et Statistique des Transports, Paris-La Défense.

EUROSTAT : Office Statistique des Communautés Européennes, Bâtiment Jean Monnet, Kirchberg, Grand Duché du Luxembourg.

CEMT : Conférence Européenne des Ministres des Transports, Paris 16e.

Assemblée Nationale : Délégation pour les Communautés Européennes, Paris 7e.

CNET : Centre National d'Etude des Télécommunications, Issy-les-Moulineaux.

UIT : Union Internationale des Télécommunications, Genève.

Centre de renseignements des Douanes : Paris 12e.

Club Eurotrans : c/o Ecole nationale des ponts et chaussées, Paris 7e.

Liste des graphiques.

Graph. 1 : Les services les plus attendus
en magasin .... p. 12

Graph. 2 : Le délai de mise à disposition
toléré en situation d'achat .... p. 21

Graph. 3 : Ecarts de tolérance
dans les délais en fonction
du destinataire .... p. 22

Graph. 4 : Les achats pour soi : écarts
de tolérance en fonction
des produits .... p. 22

Graph. 5 : Les achats pour offrir :
écarts de tolérance en fonction
des produits .... p. 23

Graph. 6 : Les achats pour le foyer :
écarts de tolérance en fonction
des produits .... p. 23

Graph. 7 : Evolution des situations
jugées les plus désagréables
selon l'âge .... p. 24

Graph. 8 : Incidence du prix d'achat sur
la tolérance face aux délais .... p. 25

Graph. 9 : Poids de l'acceptation d'une
mise à disposition "le lendemain
au plus tard" dans l'accord
d'un délai connu .... p. 25

Graph. 10 : Ce qu'un destinataire
ne supporte pas .... p. 27

Graph. 11 : Ce qu'un expéditeur attend .... p. 28

Graph. 12 : Hiérarchisation des critères
de choix fournisseur .... p. 32

Graph. 13 : Hiérarchisation
des attentes client .... p. 33

Graph. 14 : Les liens exigence client
et fournisseur .... p. 35

Graph. 15 : Hiérarchisation des critères
de satisfaction des destinataires
de marchandises .... p. 40

Graph. 16 : Hiérarchisation des critères
d'insatisfaction des destinataires
de marchandises .... p. 41

Graph. 17 : Hiérarchisation des critères
d'insatisfaction des destinataires
de documents .... p. 42

Graph. 18 : Hiérarchisation des critères
de satisfaction des destinataires
de documents .... p. 43

Graph. 19 : Les gisements de gain
de temps dans la relation
client/fournisseur .... p. 45

Graph. 20 : Caractéristiques des 45 %
d'entreprises qui estiment
ne pas pouvoir gagner du temps .... p. 46

Graph. 21 : Arbitrage entre ponctualité
et rapidité selon la localisation
du fournisseur .... p. 48

Graph. 22 : Répartition des trafics terrestres
de marchandises en t-km au sein
de la C.E.E. en 1990 .... p. 57

Graph. 23 : Les principales relations
terrestres de marchandises
intra-C.E.E. en 1990 .... p. 57

Graph. 24 : Les transports terrestres
internationaux intra-européens
de marchandises en 1990 .... p. 61

Graph. 25 : Les échanges extérieurs
français par modes de transport ...... p. 62

Graph. 26 : Transports de marchandises
en 1992 .... p. 64

Graph. 27 : Evolution récente du trafic
terrestre de marchandises .... p. 64

Graph. 28 : Evolution des trafics terrestres
français 1980-1992 .... p. 66

Graph. 29 : Part des chapitres de produits
NST/R dans les 3 modes
terrestres en 1992 .... p. 66

Graph. 30 : Le marché mondial
de l'express en 1992 .... p. 69

Graph. 31 : Répartition du marché français
de l'express en national
et international en 1993 .... p. 70

Graph. 32 : Marché de l'express national et
international en France en 1993 .... p. 72

Graph. 33 : Courrier déposé par les
particuliers et les entreprises
en France .... p. 73
Graph. 34 : Nombre de lignes téléphoniques
dans la C.E.E. .... p. 74
Graph. 35 : Nombre d'abonnés et nombre
d'équipements terminaux
de données raccordés .... p. 75
Graph. 36 : La répartition
des coûts logistiques .... p. 80
Graph. 37 : Répartition de la sous-traitance ...... p. 98
Graph. 38 : Raisons de la sous-traitance .... p. 99
Graph. 39 : Les Français et leur rapport
avec le temps .... p. 153
Graph. 40 : Athlétisme : les records du
monde du 100 m depuis 1912 .... p. 181
Graph. 41 : Cyclisme : évolution du record
de l'heure de 1898 à 1994 .... p. 181

Liste des tableaux.

Tab. 1 : Le temps : le témoignage
d'un rapport avec le produit/service . p. 16

Tab. 2 : Axe Nature du produit .... p. 17

Tab. 3 : Axe Fonction du produit .... p. 17

Tab. 4 : Axe Désirabilité du produit .... p. 18

Tab. 5 : Axe Circonstances d'utilisation .... p. 19

Tab. 6 : D'après vous, que pensent de vous
vos clients ? .... p. 32

Tab. 7 : D'après vous, qu'apportent vos
clients à leurs propres clients ? .... p. 33

Tab. 8 : D'après vous, qu'attendent
de vous vos clients ? .... p. 38

Tab. 9 : Comment répondez-vous
à vos clients ? .... p. 39

Tab. 10 : Quel est le mode de commande
de vos clients ? .... p. 44

Tab. 11 : Comment vos clients
réceptionnent-ils vos envois ? .... p. 44

Tab. 12 : Votre client pense-t-il gagner
du temps avec vous ? .... p. 45

Tab. 13 : Les trafics maritimes dans
les ports de la C.E.E. en 1989 .... p. 58

Tab. 14 : Les chapitres NST/R .... p. 59

Tab. 15 : Coût du transport d'une tonne
de fret et valeur des marchandises
transportées .... p. 63

Tab. 16 : Marché mondial
de l'express en 1992 .... p. 69

Tab. 17 : Répartition des coûts internes
de logistique aval .... p. 81

Tab. 18 : Chaîne logistique classique .... p. 89

Table des matières

Avant-propos par Frédéric Tiberghien .... p. 2

Le rapport
Qualité/Temps
appliqué à la vie professionnelle

Analyser le marché : temps du client, temps du fournisseur, quels décalages ?

**MARCHE GRAND PUBLIC ET RAPPORT
QUALITE/TEMPS** .... p. 10
**Dans la décision d'achat, quelle place
pour le temps ?** .... p. 12
Un critère de satisfaction à part entière. .... p. 12
Un critère de classification des produits
et des services. .... p. 14
**Pendant l'achat, quelle tolérance
face aux délais ?** .... p. 20
Une segmentation de la capacité d'attente. .... p. 20
Une forte demande d'immédiateté
et de visibilité du délai. .... p. 21
Une tolérance liée au destinataire, à l'acheteur
et à la valeur du produit. .... p. 22
**Après l'achat, quelle exigence
envers les délais ?** .... p. 26
Un arbitrage entre ponctualité et rapidité. .... p. 26
Un destinataire devenu expéditeur. .... p. 28
**MARCHE DES ECHANGES
INTERENTREPRISES ET
RAPPORT QUALITE/TEMPS** .... p. 30
**Le temps, élément de satisfaction
des professionnels ?** .... p. 32
Le délai, critère de choix
dans les échanges client/fournisseur. .... p. 32
**Exigences client/fournisseur,
quels liens ?** .... p. 35
Prix, qualité et délai : critères déterminants
pour 30 % des entreprises. .... p. 36

Délai, sécurité et qualité : critères
déterminants pour 26 % des entreprises. .... p. 37
Le temps du client dans l'échange,
une dimension suffisamment prise
en compte ? .... p. 38
Des destinataires de marchandises
globalement satisfaits. .... p. 40
Une forte proportion de destinataires
de documents insatisfaits. .... p. 42
Le temps du client, quelles potentialités
de progrès ? .... p. 44
Des possibilités variées de gain de temps. .... p. 44
Une segmentation de l'attitude face au temps. .... p. 47

Améliorer le service : transport et logistique, leviers stratégiques de performance ?

TRANSPORT ET RAPPORT
QUALITE/TEMPS .... p. 54
Qualité et Temps, critères de choix du mode
de transport des marchandises ? .... p. 56
En Europe, des choix intermodaux
influencés par plusieurs facteurs. .... p. 56
En France, mise en lumière d'autres critères de choix. . p. 62
La rapidité, exigence croissante ? .... p. 68
Croissance et évolution du transport express. .... p. 68
Des échanges d'informations marqués
par l'instantanéité. .... p. 73

LOGISTIQUE ET RAPPORT
QUALITE/TEMPS .... p. 78
La logistique, quels enjeux ? .... p. 80
Une politique de management. .... p. 81
Une nouvelle organisation. .... p. 83
Une démarche progressive. .... p. 86
La chaîne logistique, une réorganisation
nécessaire ? .... p. 88
Des filières logistiques réorganisées. .... p. 88
Plusieurs axes de remise en cause. .... p. 91

La sous-traitance et le partenariat logistique, des solutions adaptées ? .... p. 96

Une logistique de plus en plus complexe. .... p. 98

Des difficultés concrètes. .... p. 99

Une démarche formalisée. .... p. 100

L'intégration de la chaîne logistique, choix d'efficacité ? .... p. 106

Des systèmes de pilotage intégrés dans l'entreprise. .... p. 106

Une intégration de la chaîne logistique interentreprise. .... p. 107

Le service au client, un impératif logistique ? .... p. 111

Des contraintes contradictoires. .... p. 111

Des solutions logistiques multiples. .... p. 112

Réinventer l'offre : le temps, nouvelle dimension marketing ?

MARKETING ET TEMPS DU CLIENT .... p. 122

Le temps, dimension économique négligée ? .... p. 124

Le temps occulté. .... p. 124

Le long terme, addition de courts termes ? .... p. 124

L'apparition du temps libre. .... p. 125

Le temps, nouvelle dimension du management. .... p. 126

Le temps, concept évolutif ? .... p. 128

Le colis entre le temps et la propriété. .... p. 128

Le temps et les flux d'information. .... p. 130

Le temps décalé. .... p. 131

Le temps du client, nouvel enjeu stratégique ? .... p. 134

Le temps du client. .... p. 134

Front office, back office. .... p. 135

La gestion du temps, facteur clé du succès ? .... p. 137

Une vision prospective de son activité. .... p. 137

Une nécessaire maîtrise de l'information. .... p. 139

Une circulation des marchandises accélérée. ...... p. 140

Le délai, outil marketing ? .... p. 143

Le rapport
Qualité/Temps
appliqué à la vie quotidienne

CHIFFRES CLES .... p. 150
76 % des Français sont satisfaits de leur
rapport avec le temps. .... p. 150
59 % des Français prennent le temps
de faire les choses. .... p. 151
50/50 : hommes et femmes, même rapport
avec le temps. .... p. 152

**LES FRANÇAIS ET LEUR RAPPORT
AVEC LE TEMPS** .... p. 153
Les "Cool contents" : 49 %. .... p. 154
Les "Speedés satisfaits" : 27 %. .... p. 155
Les "Speedés frustrés" : 14 %. .... p. 156
Les "Cool tourmentés" : 10 %. .... p. 157

LE TEMPS OBJECTIF .... p. 158
Les Français travaillent deux fois moins
qu'en 1945. .... p. 159
Du travail à la tâche au S.M.I.C. horaire. .... p. 160

LE TEMPS SOCIAL .... p. 163
La société change, le temps aussi. .... p. 164
Course contre la montre. .... p. 166

LE TEMPS SUBJECTIF .... p. 168
A chacun son temps. .... p. 169
Question de caractères. .... p. 170
Vie professionnelle contre vie privée. .... p. 171

LE TEMPS DU TRAVAIL .... p. 173
Travailler, c'est aller vite. .... p. 174
La Qualité : dans l'ère du temps. .... p. 175

LE TEMPS LIBRE .... p. 177
Tourbillon domestique. .... p. 179
Tout, tout de suite. .... p. 181
Attente honnie. .... p. 183

CONCLUSION GENERALE .... p. 186

Postface .... p. 188

Marché grand public et rapport
Qualité/Temps : structure de l'échantillon .... p. 194

Marché des échanges interentreprises
et rapport Qualité/Temps :
structure de l'échantillon .... p. 195

Transport et rapport Qualité/Temps :
sources .... p. 196

Liste des graphiques .... p. 197

Liste des tableaux .... p. 200

INSEP Éditions est un département du Groupe INSEP

Créé en 1967, le Groupe INSEP exerce ses activités dans les domaines du CONSEIL, de la FORMATION, des ÉTUDES et de l'ÉDITION. Il compte aujourd'hui une soixantaine de consultants et est composé de 8 sociétés :

• INSEP, la société d'origine, installée à Paris ;
• INSEP Ouest, à Nantes, pour l'ouest de la France ;
• INSEP Ingénierie, à Paris, pour l'ingénierie de la formation ;
• INSEP Stratégie Nord, à Lille, pour le nord de la France et la Belgique ;
• INSEP A3D, à Nîmes, pour le sud de la France ;
• INSEP Pays Rhénans, à Strasbourg, pour l'est de la France et la Suisse ;
• INSEP Südwest, à Karlsruhe, pour l'Allemagne ;
• INSEP Baltique, à Szczecin, en Pologne.

INSEP Espagne, à Barcelone est en cours de création.

Un capital d'expériences et de méthodologies

Depuis sa création, INSEP a généré un capital d'expériences et de méthodologies reconnues par toute la profession. Cette expérience lui donne de solides atouts pour la conduite d'opérations de changement (conseil stratégique, développement du management, conduite du changement, développement de la qualité, stratégies de communication, observatoires prospectifs...), tant dans le secteur public que dans le secteur privé.

Le Groupe INSEP, dirigé par Dominique Genelot, est indépendant de tout groupe industriel ou financier : le capital des sociétés du Groupe INSEP est détenu en majorité par les consultants et les collaborateurs.

Trois modes d'intervention

INSEP maîtrise et combine, selon les situations, trois modes d'intervention :

• le diagnostic, les observatoires, les études ;
• le conseil et la mise en oeuvre ;
• la formation.

Cet éventail de compétences permet le montage et la réalisation d'opérations cohérentes, qui prennent en compte simultanément l'évolution des personnes et l'évolution des méthodes d'organisation.

Une clientèle de renommée internationale

INSEP s'est acquis la confiance des plus grandes entreprises françaises, publiques et privées, ainsi que des administrations, qui sollicitent régulièrement son appui pour concevoir et réaliser leurs stratégies de changement et pour développer les compétences de leurs collaborateurs et de leurs dirigeants.

La création d'INSEP Éditions en 1980 manifeste la volonté du Groupe INSEP de mettre à disposition du plus grand nombre ses réflexions et ses méthodes. La profession reconnaît au Groupe INSEP, à travers ses ouvrages, la recherche de qualité et de rigueur conceptuelle ainsi que l'attachement aux valeurs de la culture.

Le catalogue des Éditions INSEP

Sur simple demande de votre part, nous vous ferons parvenir le catalogue détaillé de nos publications.

Gérard Herniaux et Didier Noyé
Améliorer la qualité des processus
Pour maîtriser la complexité des processus dans l'entreprise

Claude Flück, Comité d' Expansion Économique de la Vendée, INSEP
Anticipez, identifiez vous-même les compétences utiles à votre PME
Guide d'auto-analyse à l'usage des chefs d'entreprise

Collectif
Changer les organisations du travail

Jacques Piveteau et Didier Noyé
Comment communiquer de façon efficace ?
Nouvelle édition

Etienne Verne
Comment conduire un entretien de recrutement
Guide pratique pour les cadres d'entreprise

Louis Sahuc
Comment identifier les futurs managers
Une approche par les contre-indications

Claude Flück et Catherine Le Brun Choquet
Développer les emplois et les compétences
Une démarche, des outils

Jean Brun
Ecole cherche manager

Brigitte Legrand et Christine Rubert
Faire son bilan
Pour la valorisation et l'insertion professionnelle

Didier Noyé et Etienne Verne
Guide pour développer la formation à la qualité
En collaboration avec la MFQUI

Dominique Tissier
Guide pour la gestion des unités et des projets
A l'usage des responsables

Didier Noyé et Jacques Piveteau
Guide pratique du formateur - Nouvelle édition
Concevoir, animer et évaluer une formation

Jacques Piveteau
L'entretien d'appréciation du personnel
Pour des relations de travail plus justes et plus efficaces

Maxime Leroux et Mariette Delain
Les dimensions cachées de la négociation
Savoir préparer pour pouvoir conclure

Vincent Lenhardt
Les responsables porteurs de sens
Culture et pratique du coaching et du team-building

Jacques Piveteau
Mais comment peut-on être manager ? (!)
Les compétences du manager au quotidien

Dominique Tissier
Management situationnel 1
Les voies de l'autonomie et de la délégation

Dominique Genelot
Manager dans la complexité
Réflexions à l'usage des dirigeants

Gérard Herniaux
Organiser la conduite de projet
Propositions méthodologiques pour des situations complexes

Christian Darvogne et Didier Noyé
Organiser le travail pour qu'il soit formateur
12 dispositifs à mettre en oeuvre

Didier Noyé
Pour satisfaire nos clients - Nouvelle édition
12 leçons sur la qualité des services

Catherine Buchillet
Prendre la parole : guide pratique
Pour réussir exposé, allocutions, débats

Didier Noyé
Réunionite : guide de survie
Ou comment améliorer la qualité des réunions

Dépôt légal : 1er trimestre 1995
Achevé d'imprimer sur les presses
de Graphi Imprimeur en Mars 95.